ROMANZI E RACCONTI

© Pubblicato in accordo con Grandi & Associati
© 2021 Baldini+Castoldi s.r.l. - Milano
ISBN 978-88-9388-451-8

Prima edizione Baldini+Castoldi - La nave di Teseo settembre 2021

www.baldinicastoldi.it
info@baldinicastoldi.it

BaldiniCastoldi
BaldiniCastoldi
baldinicastoldi
baldinicastoldi

Costanza DiQuattro
Giuditta e il monsù

Baldini+Castoldi

A Cettina

Plurimum in amicitia amicorum
bene suadentium valeat auctoritas.
Marco Tullio Cicerone

Si conobbero. E precisamente lui conobbe lei e se stesso, perché in verità non s'era mai saputo. E lei conobbe lui e se stessa, perché pur essendosi saputa sempre, mai s'era potuta riconoscere così.

Italo Calvino

Capitolo 1

«Dite al marchese che non entrerà mai più nella mia stanza, piuttosto mi faccio monaca, mi vado a rinchiudere dalle Benedettine, prendo i voti, se è il caso mi ammazzo ma lui non si avvicinerà mai più al mio letto. Maledetto!»

Da circa due ore la marchesa Chiaramonte sbraitava contro il marito appesa, di volta in volta, alla spalla di qualcuno.

I dolori del parto erano iniziati subito dopo cena ma lei aveva sperato fossero solo delle fitte momentanee. Il medico le aveva detto che prima di metà giugno non sarebbe successo nulla e lei si era cullata in questa speranza.

Alle due del mattino, però, aveva capito che la creatura che aveva in grembo aveva rotto gli argini e stava conquistando il suo spazio nel mondo.

La prima ad arrivare fu Maruzza, la cameriera di casa, seguita, come in una solenne processione, da Giannina e Concetta, poi si presentò Gna Mena che avrebbe dovuto agevolare il parto e, infine, con un ruolo del tutto marginale, apparve anche il dottor Galfo.

Tre stanze più in là, invece, con una disincantata flemma il marchese Romualdo Chiaramonte stava nel suo studio.

Era avvolto in una vestaglia di velluto bordeaux sulla quale trionfavano pompose le sue iniziali, sovrastate da una imponente corona con cinque fioroni.

Alternava uno sbadiglio a una boccata di pipa e, di tanto in tanto, guardava l'orologio mostrandosi risentito con il tempo, lento e sonnacchioso.

Romualdo Chiaramonte era un uomo algido e distaccato.

Sembrava che le cose del mondo non gli appartenessero, che le vicende che ruotavano attorno alla sua figura fossero marginali, lontane dal suo impenetrabile universo fatto di silenzi, tabacco pregiato, libri e donne.

E di donne ne aveva tante Romualdo.

A dispetto della sua freddezza nella vita di tutti i giorni, dinanzi a una donna, il marchese Chiaramonte perdeva il rigore di sempre arrivando a perdere se stesso.

Pur non rientrando nei canoni dell'oggettiva bellezza, era considerato un uomo di grande fascino.

Non era alto né troppo magro. Aveva spalle sicure e mani possenti. Una leggera calvizie cominciava a svelarsi tra i capelli neri mentre il suo sorriso, fastidiosamente perfetto, si rivelava con molta più parsimonia.

Eppure mieteva allori come un eroe dell'antichità.

Sarà stato il suo ostentato silenzio o forse quegli occhi azzurri immersi in un incarnato diafano e messi in evidenza da una barba folta e nera. O probabilmente saranno stati i suoi modi intriganti, quel velato corteggiamento fatto di sospiri e carnalità. Di fatto le donne del marchese non si contavano più soprattutto se, alla verità dei fatti, si aggiunge il piacere di una storia pruriginosa che non lesina mai di essere raccontata.

Romualdo Guglielmo Alvaro Chiaramonte era il secondo dei tre figli del marchese Domenico Chiaramonte. Non avrebbe dovuto essere suo il titolo, il palazzo e le proprietà se suo fratello Tommaso non fosse morto, a soli ventitré anni, di sifilide.

Così Romualdo a ventun anni si trovò investito di un ruolo che non avrebbe mai voluto, ricoperto di titoli come un re, di terre sparse per un territorio aspro e soleggiato e di palazzi sconfinati la cui vetusta bellezza sembrava abbracciare la decadenza.

Si era sposato a ventisei anni, più per accondiscendenza che per slancio emotivo e, nel breve tragitto fra il portone d'ingresso e l'altare maggiore della chiesa, si era ripromesso una integerrima condotta matrimoniale. E il proposito era durato ben trentacinque minuti, per poi infrangersi miseramente sul sagrato, dentro gli occhi color dell'alba di una leggiadra signora.

Ma non erano solo queste le donne che circondavano la figura inquieta del marchese.

In sette anni di matrimonio aveva avuto tre figlie: Amalia, Ada e Rosalia.

Tutte femmine, infinitamente femmine, tragicamente femmine.

E per ogni parto Romualdo sperava e continuava a sperare di sentire un trambusto concitato di voci e di vedere spuntare il dottore Galfo o Maruzza con in braccio un bambino, magari anticipati dalle loro stesse voci: «Masculu è, finalmente nascìu u marchisi!»

E invece no.

Per Amalia ci fu festa, era la prima e poi si sa, la credenza popolare veniva incontro alla mestizia del marchese: «Cu na bona razza vo principiari di na fimmina à cuminciari».

Ada venne accolta con meno entusiasmo. Il marchese serrò la mascella e divenne pallido. Si limitò a dire «Ero certo fosse maschio» e poi si dileguò per tre giorni.

Dove andò, cosa fece e chi incontrò non fu mai dato saperlo, però al suo ritorno Romualdo era stranamente conciliante, a tratti si sarebbe potuto leggere persino l'ombra lontana della gentilezza.

Per Rosalia, infine, nessuno ebbe il coraggio di annunciarne la nascita al padre. La povera marchesa piangeva disperata nel suo lago di sangue, non tanto per la commozione o il dolore del parto quanto per la certezza che di lì a poco avrebbe rivisto la stessa scena. E mentre Maruzza, Giannina, Concetta e Gna Mena si passavano il carbone ardente della inevitabile comunicazione, il dottor Galfo, con un coraggio leonino, decise di affrontare lui il marchese.

Dopo pochi minuti di plumbeo silenzio dallo studio si udì uno sparo.

Le quattro cameriere rimasero impietrite, la marchesa smise di piangere e perfino la bambina si zittì.

«Maria Santissima Addolorata, u mazzau!» disse Maruzza portandosi le mani callose davanti agli occhi.

Gna Mena e Concetta si fecero il segno della croce mentre Giannina cominciò a recitare «Requiem aeternam dona eis, Domine, et lux perpetua luceat eis…»

Poi, d'un tratto, si sentì il cigolio della maniglia e dalla porta apparve il dottor Galfo, bianco come un cadavere e tremante come una foglia.

«Ma chi fu? Chi successe?» domandarono tutte all'unisono.

«Nulla», rispose impettito il dottore, «devo dire che il marchese ha reagito piuttosto bene; per l'emozione ha sparato, a pochi centimetri da me.» E così dicendo cadde per terra, svenuto che pareva morto.

Per il quarto parto l'attesa del maschio, da speranza si era trasformata in necessità.

Era accorso perfino padre Egidio, il confessore della famiglia, non soltanto per un immediato battesimo quanto per placare gli animi qualora fosse stata necessaria una coraggiosa ed ennesima comunicazione.

Erano le quattro del mattino quando padre Egidio trafelato entrò nello studio del marchese.

«Eccellenza siamo pronti...» disse strofinandosi le mani, «vedrete che questa volta il buon Dio ci farà la grazia e tra poco avremo un bel bambino, sano e robusto.»

Romualdo, per tutta risposta, aveva ricambiato con uno sguardo incerto. Aveva inarcato il sopracciglio sinistro limitandosi a indicare con il dito la sedia libera di fronte a lui.

Il parroco si era tolto il cappello a tre punte e si era accomodato sul pizzo della sedia.

«C'ho provato in tutti i modi», disse il marchese sospirando. «Con la luna piena, con la luna a tre quarti, con un quarto solo. Ho cambiato posizioni, di sotto, di sopra, di lato...»

«Eccellenza, vi prego…» fece prontamente il parroco accennando un sommesso rimprovero.

«Eh, fate presto voi. Vi prego, vi prego e intanto il maschio non arriva.»

«Ma non darete di certo retta a queste credenze popolari», disse padre Egidio con le mani incrociate sulla pancia tesa.

«E invece sì», rispose il marchese puntandogli contro il dito. «Se dovessi solo affidarmi alle preghiere potrei ripopolare il convento delle Benedettine.»

«Ma figliolo, le donne sono la ricchezza di una casa e le vostre figlie saranno la fortuna di qualsiasi buon partito che avrà la sorte di accostarsi a loro.»

«Sì sì… poesia. Io voglio il maschio altrimenti il titolo andrà a quello stupido di mio fratello. Si intenda padre parroco, a me di fare il marchese non interessa nulla, ma l'idea di vedere compiacersi quell'inutile tronfio di mio fratello Ciccio mi fa salire il sangue agli occhi.»

«Eccellenza, suvvia. La marchesa è ancora giovane e poi vedrete che questo sarà maschio.»

«La marchesa», rispose Romualdo abbassando la voce, «mi ha chiuso le porte! In tutti i sensi. Ha giurato che non mi farà entrare mai più nella sua camera da letto e che preferirà la clausura alle legittime richieste di suo marito.»

«Ma, Eccellenza, queste sono cose che si dicono per rabbia, non date credito al furore di un attimo», disse il parroco con un tono rassicurante. «Volete piuttosto che mi informi? C'è uno strano silenzio…»

«Andate», disse Romualdo.

Padre Egidio si alzò, si rimise il cappello, si aggiustò la

veste stropicciata e si diresse alla porta ma prima di uscire si voltò lentamente. «Eccellenza, quell'arma da fuoco che avevate promesso di riporre in un luogo lontano dalla tentazione, dove si trova?»

«Fuori!» tuonò il marchese e il parroco sparì.

Quando padre Egidio entrò nell'anticamera da letto della marchesa, la scena che gli si presentò innanzi risultò spettrale.

Il dottor Galfo, Maruzza e Concetta erano seduti, con lo sguardo vitreo e assente, senza dire una parola.

Maruzza cullava, senza un filo di voce, un fagotto bianco e Giannina raccoglieva panni sporchi per la stanza.

Oltre la porta bianca e oro, si udiva un sibilo prossimo al pianto.

Padre Egidio si avvicinò a Maruzza e non fu necessario parlare. Alzò la veste alla creatura e sollevò gli occhi al cielo.

«Io non andrò più, non posso correre il rischio di una scupittata che fa centro», disse esangue il dottor Galfo.

«E c'avete ragione», fece Concetta. «Io non entrerei dentro quella stanza neanche per tutte le ricchezze del mondo.»

«Attocca a voi, padre Egidio...» disse Maruzza implorante.

Gli occhi di tutti si puntarono sul parroco. Lui deglutì più volte poi disse fra sé e sé: «Sia fatta la volontà del Signore».

Albeggiava mentre il padre parroco percorreva a ritroso le tre stanze che separavano la camera da letto dallo studio. Le tende di lino lasciavano filtrare una livida luce azzurrata.

Un cielo terso preludeva a una giornata di sole. Il parroco rallentò notevolmente il passo cercando di ripassare nella mente il discorso migliore per dare notizia al marchese della quarta femmina. Arrivò dinanzi alla porta dello studio e fece scivolare la mano sinistra sulla maniglia d'ottone mentre la destra, tremante, batté due colpi di seta.

Romualdo era rivolto verso il balcone, guardava l'alba a braccia conserte, in attesa di qualcosa.

«E dunque?» disse voltandosi di scatto verso il parroco. «Se ci fossero state belle notizie non stareste lì impalato…»

«Eccellenza», fece padre Egidio, «dunque io…»

Ma prima ancora che i due potessero iniziare quella improbabile conversazione, un gran trambusto si udì dalle scale del palazzo. Padre Egidio si ammutolì, prendendola come una volontà benefica del cielo, e il marchese si precipitò fuori dallo studio.

«Oscenza, Oscenza viniti subito, successe un fatto», gridò Nìria il guardiano.

«Chi fu?» fece il marchese sporgendosi dalla tromba delle scale.

«M'picciriddu fu lassato davanti alla porta. Fu na cumminazione ca iu mi ni addunai. È picciridduzzu forti, pare neonato.»

«E ora dov'è?» rispose il marchese.

«Cu me mugghieri. Non finiva di cianciri e idda u sta quetannu.»

Romualdo guardò incerto padre Egidio che nel frattempo lo aveva raggiunto. Poi si rivolse di nuovo al guardiano: «Ma è masculu o fimmina?»

«Pare masculu, Oscenza.»

«Pare?» ripeté Romualdo guardando il padre parroco, che non riuscì a trattenere un sorriso.

«O è masculu o è fimmina, Nìria! Portalo qui, u taliu io.»

Dopo pochi istanti Nìria portò quel fagotto avvolto in una coperta a brandelli. Il marchese si avvicinò, gli guardò i lineamenti sottili, le mani affusolate e poi gli scostò le bende di lino.

Si soffermò sui testicoli gonfi e su quella ridicola sporgenza e, mentre lo osservava compiaciuto, il bambino, come un putto di una fontana, fece una lunga e caldissima pipì.

«Come ti pare?» disse il marchese guardando torvo il guardiano.

«Masculu», rispose Nìria con lo sguardo basso e poi incalzò: «Che ne facciamo, Oscenza?»

«Portatelo al convento dei Cappuccini», disse risoluto.

«Oscenza sì», rispose Nìria indietreggiando.

Ma prima che il guardiano potesse iniziare a scendere le scale il marchese lo bloccò.

«Chiedete a don Nicola e donna Marianna se lo vogliono loro, in quel caso potrà restare qui.»

Nìria strabuzzò gli occhi. «Ma sono vecchi!» rispose stupito.

«Allora chiedi al bambino se preferisce un convento di Cappuccini al monsù di Palazzo Chiaramonte», rispose stizzito il marchese e poi, rivolto a padre Egidio: «Battezzatelo».

«Battezzarlo? Ma non sappiamo nulla di lui. Non sarebbe il caso di aspettare? Magari la madre potrebbe pentirsi di un gesto tanto scellerato e tornare a riprenderselo.»

«Non credo proprio. Battezziamolo con il nome di Fortunato.»

«Fortunato?» ripeté padre Egidio.

«Fortunato, proprio così. Come vorreste chiamarlo altrimenti?»

«Come vuole Vostra Eccellenza», disse il parroco abbassando lo sguardo.

«Ah, che sciocco, dimenticavo... mia figlia si chiamerà Giuditta. Giuditta Maria Lucia Anna. Dite inoltre alla marchesa che non sono in collera con lei, poteva andare peggio. Adesso, con il vostro permesso, andrei a letto.»

E così dicendo si dileguò lasciando padre Egidio, Nìria e il piccolo Fortunato con quel dubbio irrisolvibile che solo una improvvisa felicità sa metterti in cuore.

Capitolo 2

Palazzo Chiaramonte, gennaio 1896

«Ho sentito abbastanza lagne per oggi o devo ricevere ancora qualcuno?» chiese il marchese tentando invano di combattere uno sbadiglio.

«In verità, Oscenza, ci sono ancora cinque persone fuori dalla porta», rispose don Vastiano.

«Non ci posso campare», disse Romualdo portandosi le dita alle tempie e socchiudendo gli occhi.

«Volete che li mandi via?» domandò Vastiano.

«No, no, falli entrare. Malu passu, passulu presto dicevano gli antichi... Dimmi piuttosto chi sono...»

Don Vastiano aprì un quaderno di pelle nera, si avvicinò un po' di più alla scrivania e snocciolò: «Il primo è u Massa Nanè, porta la gabella e le solite cirnagghie: uova, caciocavallo, tre galline e un quarto di maiale».

«E non può darle a te?» rintuzzò Romualdo.

«Oscenza no. Dice che vi vuole parlare per la vanedda di contrada Trepizzini. Siccome che si è allagata una quindicina di giorni addietro allora lui non può passare con il carretto.»

«E io cosa dovrei fare? Ci ammuttu u carretto?» domandò indispettito il marchese.

«Oscenza no. Dovremmo però mandare qualcuno a fargliela sistemare», rispose don Vastiano timoroso.

«Certo!» ribatté Romualdo. «E poi ci mando pure un lacchè con un bel cesto di frutta a marturana, così si fa dolce il palato. Parlaci tu e cerca di risolvere la cosa, io non ho tempo da perdere.»

«Comu vole Oscenza», disse don Vastiano e riprese: «Il secondo è Turiddu Migliorisi. Dice che quest'anno l'aranceto di contrada Pozzobollente non ha fruttato assai. Però», aggiunse il tuttofare abbassando sensibilmente la voce, «le malelingue dicono che si sia giocato buona parte del raccolto alla zecchinetta e adesso sta venendo a cianciri miseria».

Romualdo si accarezzò la barba, rimanendo qualche secondo in silenzio prima di rispondere: «Facciamolo entrare per ultimo, almeno ci facciamo allungare il collo...»

«Il terzo e il quarto», proseguì don Vastiano prendendo appunti, «sono i fratelli DiMartino. Vorrebbero prolungata la concessione della nivera a Monterosso.»

«Ci hanno preso gusto a fare ghiaccio...» sogghignò Romualdo.

«Credo si guadagni discretamente bene», rispose Vastiano. «Cosa faccio?»

«Falli entrare.»

«E poi Oscenza ci sarebbe il canonico LoPresti, il precettore delle vostre figlie...» disse il tuttofare.

«Oh grandissima camurria! E cosa vuole?» chiese indispettito Romualdo.

«Penso voglia parlarvi delle vostre figlie e del loro rendimento.»

«Mi terrà delle ore... fallo entrare subito e digli di fare presto perché c'è altra gente che aspetta.»

«Oscenza sì», disse Vastiano andando verso la porta.

Quando il canonico LoPresti varcò l'uscio dello studio, Romualdo lo assalì prima ancora che l'uomo potesse parlare.

«Canonico illustrissimo, sia lodato Gesù Cristo e tutti gli angeli del cielo, io purtroppo vado di fretta dunque dovrò chiedervi di essere celere e conciso.»

Il canonico rimase interdetto, con lo sguardo da cane mazziato e le labbra bloccate su quell'«Eccellenza, i miei omaggi» mai pronunciato.

Si limitò a dire «Sì» e poi, togliendosi il cappello, chiese con lo sguardo implorante di potersi sedere.

Il canonico LoPresti era un uomo di rara bontà, sempre incline al sorriso e con una naturale predisposizione alla gentilezza. Aveva trascorso almeno la metà della sua esistenza sui libri, facendo voto di obbedienza e castità. Ciò nonostante la sua cultura, incentrata soprattutto sui testi sacri, era una cultura stantìa, priva di slanci, di novità, completamente avulsa dalla freschezza letteraria. Egli era perseguitato dall'idea che il demonio risiedesse tra le pagine amorose, nei testi politici, nelle poesie romantiche, nell'ironia di certa letteratura.

Esclusi dunque i testi che avessero almeno uno di questi elementi restava ben poco da trasmettere al curioso sapere delle quattro ragazze.

Eppure sembrava non accorgersi del disinteresse mostrato verso le sue lezioni.

Era capace di perdersi negli infiniti meandri delle digressioni e smarrire il filo dei suoi discorsi incurante degli sbadigli sbandierati dai suoi interlocutori.

«Vasciu ri munnu» lo definiva la gente, per via della sua disarmante semplicità. Non sarebbe stato in grado di esprimere un giudizio su nessuno figuriamoci di criticare o parlare male e ciò lo rendeva, agli occhi del mondo, un uomo estremamente noioso.

«Eccellenza», disse il canonico emettendo un sospiro sofferto, «vengo a resocontare l'andamento delle vostre figlie e a sottoporvi un problema gravoso.»

«Gravoso?» ripeté curioso il marchese.

«Alquanto, Eccellenza», rispose addolorato il canonico. «Ma prima desidero parlarvi delle signorine Amalia, Ada e Rosalia.»

«E Giuditta?» domandò Romualdo.

«La signorina Giuditta è il problema gravoso», rispose il canonico sinceramente addolorato.

«Andate avanti», disse Romualdo accennando con la mano destra di seguitare nella conversazione.

«Il lavoro con la signorina Amalia è ricco di soddisfazioni e crescite culturali. Vostra figlia ha una naturale predisposizione verso le materie umanistiche ma eccelle anche nelle scienze matematiche e nello studio del francese. Ritengo che sia più matura dei suoi sedici anni e che abbia acquisito una completa padronanza della nostra lingua che utilizza con grazia e parsimonia.»

Il marchese lo guardò soddisfatto, incrociò le braccia sul panciotto di gros-grain di seta e appoggiò le spalle allo schienale della sedia, poi fece segno al canonico di continuare.

«La signorina Rosalia è portata per le scienze matematiche. Istintivamente riesce a risolvere i quesiti che pongo senza l'uso delle regole che le trasmetto. Non posso dire lo stesso delle materie umanistiche nelle quali stenta un po'. Ma noto un costante impegno che va premiato ed esortato. Mi corre però l'obbligo di dire a Vostra Eccellenza che la signorina Rosalia ha una certa mal disposizione nei confronti del suo interlocutore quando questo la contraddice.»

«Spiegatevi meglio», disse il marchese.

«La signorina risponde alle critiche con tono indisponente; ritengo che questo aspetto del carattere andrebbe smussato onde evitare di risultare, agli occhi di un futuro pretendente, troppo pungente.»

«Il pretendente guarderà ben altro che la spigolosità di una risposta, comunque sia mi sembra un tantino prematuro come discorso, Rosalia ha soli tredici anni. Continuate, prego.»

Il canonico chinò leggermente la testa e riprese: «Per quanto riguarda la vostra secondogenita, Ada, mi corre l'obbligo di dirvi che dallo scorso settembre, ovvero dal vostro ritorno dalla villeggiatura in campagna, la signorina è notevolmente cambiata. Oltre a mostrarsi più attenta e remissiva, ho notato in lei una tensione maggiore verso le sacre scritture. Credo, invero, che vostra figlia abbia una particolare attitudine per la religione poiché, tutte le volte che si parla di Nostro Signore Gesù Cristo, ella si illumina di felicità e grazia».

Il canonico stava seguitando nel suo accorato discorso, con gli occhi chiusi, in una veste quasi beata, quando un tonfo violento lo fece sobbalzare dalla sedia.

Il marchese aveva sbattuto entrambe le mani sulla scrivania, rovesciando il calamaio pieno di inchiostro.

«Vorreste per caso farmi credere che dovrei dare mia figlia in sposa a Cristo?» gridò Romualdo alzandosi minacciosamente in piedi.

Il canonico restò impietrito sulla sedia, incapace di muovere un solo arto. Riuscì a stento ad annuire senza proferire parola e dopo qualche infinito secondo, quasi sussurrando, rispose: «È una possibilità».

«Giammai!» tuonò categorico Romualdo. «Non permetterò che mia figlia sia privata della libertà, della gioia di un figlio, delle emozioni della vita, della felicità di uno sposo, vero, in carne e ossa.»

«Ma Eccellenza…» provò a ribattere il canonico.

«Vi consiglio di limitarvi al vostro lavoro di precettore e di non vestire i panni di evangelizzatore.»

Romualdo si rimise a sedere, guardò l'orologio da tavolo, poi disse: «Siamo qui da mezz'ora. Vogliamo arrivare al dunque?»

Il canonico chiuse la bocca, che era rimasta aperta, e cercò di riprendere il filo del discorso.

«E-e-e-eccellenza», balbettò, «era piuttosto di un'altra cosa che volevo parlarvi…» disse quasi terrorizzato il canonico.

«Sì, l'avete detto all'inizio: un problema gravoso l'avete definito», asserì esausto il marchese.

«Esatto, Eccellenza. Il problema gravoso riguarda l'ultima delle vostre figlie: la signorina Giuditta.»

«Era piuttosto deducibile», tagliò corto il marchese.

«E perché mai?» aggiunse il canonico intimidito.

«Perché me lo avete detto prima.»

«Già», osservò il canonico. «Dunque, Eccellenza, la signorina non mostra alcuna attitudine allo studio. È svogliata, disinteressata, interrompe di continuo le mie spiegazioni adducendo scuse inappropriate e il più delle volte non si presenta alle lezioni.»

«E dove va?» domandò il marchese.

«Ecco, Eccellenza, è proprio questo il punto. La signorina Giuditta si rintana in cucina, sovente nascosta dietro le fornacelle o sotto il grande tavolo di marmo e lì guarda e ascolta tutto.»

«Ma tutto cosa?» volle sapere il marchese.

«Tutto. I discorsi tra le cameriere, le ricette del monsù, la lista dello spesaruolo. Così piccola non si impressiona neanche innanzi a un maiale da sezionare, a una gallina a cui tirare il collo, a un agnello da sgozzare. Tutto quel sangue che scorre a fiotti sembra metterle allegria e alla domanda sul perché le piaccia tanto, risponde: "Il sangue dà sapore al cibo". Non ama giocare con le sue coetanee né tantomeno con le sue sorelle. Ha piuttosto un solo compagno di giochi: Fortunato.»

Il marchese, seduto con le dita incrociate giocherellando a far rincorrere in un eterno girotondo i due pollici, rimase in silenzio nell'attesa che il canonico parlasse ancora ma questo si fermò.

«E dunque? Al di là del rendimento che voi provvederete a migliorare, in cosa consiste esattamente questo gravoso problema che siete venuto a presentarmi?»

Il canonico provò a rispondere ma Romualdo proseguì imperterrito.

«Trovo molto più preoccupante la condizione di Ada e non certo quella di Giuditta. Gioca con un bambino, suo coetaneo, e ha una attrazione per la cucina. Potrebbe averla per il ricamo o per il disegno ma non possiamo sempre decidere ciò che debba piacere agli altri. Vi ringrazio per il vostro solerte e puntuale rapporto. Terrò conto di quanto detto. Ora, vogliate scusarmi, ma ho da ricevere ancora molta gente.»

Il canonico, palesemente offeso, raccolse il cappello e si alzò. Chinò il capo, in segno di deferenza, e uscì.

Non appena don Vastiano rientrò nello studio il marchese gli ordinò: «Da questo momento in poi non verranno uccisi animali nelle cucine. Tantomeno gli agnelli, che quando gli si taglia il collo sembrano picciridduzzi scannati. È chiaro?»

Vastiano lo guardò interdetto girando lo sguardo a destra e sinistra alla ricerca di un qualche appiglio.

«È chiaro?» ripeté il marchese.

«Oscenza sì», disse il tuttofare. «Comu vole Oscenza.»

Capitolo 3

Poggiogrosso, 28 luglio 1896

Un carretto, avvolto da una nube di polvere grigia, risaliva la trazzera tortuosa della casina di villeggiatura di Poggiogrosso.

La calura asfissiante di quella mattina di luglio rendeva l'aria densa e statica, pareva che si fosse fermata ogni cosa; le chiome folte dei carrubi, gli ulivi secolari, i milicucchi altissimi e i mandorli addossati sopra i muretti a secco.

Ogni cosa sembrava avere assorbito la lentezza dell'estate.

Le vaste stanze erano serrate di giorno dalle persiane a filazza mentre di notte, a protezione della casa, rimanevano solo le svolazzanti tende bianche di lino.

Le donne si tamponavano continuamente la fronte e il collo con un fazzoletto imbevuto di acqua fredda. Agli uomini, invece, restavano la paglietta o la coppola, in base all'estrazione sociale, da usare a mo' di ventaglio.

Il primo giugno di ogni anno la famiglia Chiaramonte lasciava l'imponente e vetusto palazzo a Ibla e si trasferiva in campagna, dove, a detta loro, l'aria era fina e pulita e la notte si dormiva da paradiso.

La vacanza, che si protraeva fino alla «scutulata delle olive», sarebbe risultata noiosa ed estenuante se a parteciparvi fossero stati solo gli stretti componenti della famiglia.

In realtà il marchese aveva reso con il tempo la casina di Poggiogrosso una piccola corte dove ricevere e ospitare chiunque avesse avuto voglia di godere di quell'aria fina, senza contare gli ospiti fissi che da anni facevano parte di quelle lunghe estati.

Al seguito, dunque, di Romualdo, di sua moglie Ottavia e delle quattro figlie, ogni anno si muoveva un convoglio che si apriva con don Ciccio Chiaramonte, il fratello minore di Romualdo, sua moglie Nela e i suoi tre figli: Domenico detto Mimì, Lia e Vincenzo.

Poi il barone Raffaeluzzo Impellizzeri, fratello di Ottavia, con la moglie Lucia e i quattro figli: Gaetano, Giovannino, Virginia e Michela.

Appresso c'era il cugino del marchese, Mario Chiaramonte, figlio dello zio Alvaro Chiaramonte, fratello di suo padre.

Non poteva mancare il canonico LoPresti, che elargiva il suo sapere anche ai sette cugini delle figlie di Romualdo, e padre Egidio che si occupava delle anime, delle messe e dei rosari a Poggiogrosso.

Ma la parte veramente consistente era quella formata da tutto il personale di servizio.

Giannina, Concetta e Maruzza viaggiavano con la marchesa, mentre Vastiano era l'ombra del marchese.

Un paio di giorni prima giungevano don Nicola e donna Marianna con Fortunato affinché le cucine fossero pronte e sistemate per l'arrivo dei padroni e dei loro ospiti.

Don Memmo, Peppino e Turiddu provvedevano alle pulizie più grosse partendo con il monsù mentre Nìria restava a guardia del palazzo a Ibla, risultando l'unico, insieme alla moglie, in grado di godere di un vero riposo estivo.

Poggiogrosso era una immensa casina di villeggiatura nella campagna iblea. Aveva l'aspetto di una piccola fortezza, chiusa da alte mura che circondavano un orto e dominata da un terrazzo sui tre lati della casa.

All'interno vi era il salotto più grande di tutte le casine di villeggiatura del circondario e la cappella di legno, dentro l'armadio di palissandro, era così imponente da sembrare una chiesa vera e propria.

C'erano ventitré stanze al piano di sopra più tutti i dammusi al pianterreno senza contare le case abitarie dove stava il massaro con la sua famiglia.

Romualdo si sentiva un re dentro quelle mura antiche. Eppure non resisteva alla tentazione della fuga. Ogni tanto, senza una ragione precisa, senza una motivazione chiara, quell'aria fina gli risultava insopportabile. Tutto quel vociare di bambini, e quel verde così intenso, tutta quella ripetuta e abitudinaria quotidianità gli davano il voltastomaco.

Allora guardava Vastiano, inscenava una urgenza in città o in qualche altra campagna e spariva per un paio di giorni; il tempo giusto per tornare rinvigorito.

Quella mattina, come tutte le altre mattine, il carretto con la posta del giorno si fermò nel baglio principale. Vastiano si precipitò a prendere le lettere e pagare l'uomo.

E mentre risaliva le scale si accorse di un telegramma che riportava la dicitura URGENTE.

«Oscenza, vi ho messo la posta sulla scrivania dello studio.»

Romualdo, tutto vestito di bianco, dalla paglietta alle scarpe, stava sulla terrazza appoggiato alla balaustra di pietra a guardare la sellatura di alcuni cavalli.

«Bene, più tardi la guardo», rispose Romualdo distrattamente.

«Oscenza, mi scusassi, ma ho visto un telegramma urgente...» riprese Vastiano.

«Urgente? E che aspetti a portarmelo?» domandò piccato il marchese.

Vastiano tornò nello studio, prese il telegramma che aveva messo in cima alle altre buste e glielo consegnò.

«Ha la fascia a lutto, Oscenza», disse Vastiano indicando il telegramma.

«Ma che ti paro orbo? Ci vedo benissimo!» rispose il marchese strappando il lembo superiore del foglio.

Lo aprì, lo lesse in un baleno, e prese a passeggiare nervosamente avanti e indietro strofinandosi le nocche delle dita tra loro.

Dopo aver scavato quasi un solco, ripercorrendo per una mezz'ora buona gli stessi passi, si fermò di botto.

«Si torna a casa», disse senza indugi.

«A casa?» domandò Ottavia che nel mentre era arrivata in terrazza.

«A casa. In città», rispose Romualdo.

«In città?» continuò a domandare Ottavia.

«In città, sì! È morto lo zio Alvaro.»

«Lo zio Alvaro?» domandò ancora Ottavia.

«A casa? In città? Lo zio Alvaro? Ma chi fa c'a finisci cu sti dumanni?»

Romualdo era diventato paonazzo. Nel frattempo si erano riuniti quasi tutti in terrazza tranne Mario, il figlio di Alvaro, che chiuso, come sempre, nel suo rumoroso silenzio, se n'era andato a cavalcare un bizzoso puledro per cercare di eludere noiose conversazioni.

«Stanotte lo zio Alvaro ha avuto un malore, non è riuscito neanche a chiamare Lisi, il guardiano, che era già morto di cent'anni, pace all'anima sua», disse Romualdo. «Andrò io stesso a comunicarlo a Mario sebbene i loro rapporti, come ben sappiamo, non fossero di grande affetto.»

«Perché tu conosci qualcuno che avesse rapporti di grande affetto con lui?» domandò don Ciccio giocherellando con i lunghi baffi neri.

«Ha ragione Ciccio», puntualizzò Ottavia. «Lo zio, che Dio lo abbia in gloria», disse alzando gli occhi al cielo e facendosi il segno della croce, «non è mai stato affettuoso con nessuno. Misantropo e scorbutico, non si è mai degnato di venire a conoscere nessuna delle nostre figlie e ha sempre rifiutato ogni forma di invito e di convivialità. E ora come se non bastasse n'appizzau a villeggiatura!»

«Giusta la tua parola, Ottavia», aggiunse don Ciccio rivolgendosi con fare persuasivo a Romualdo. «Abbiamo cercato in tutti i modi di stanarlo da quella casa sporca e fatiscente ma lui nulla. Una volta, pensate, io e Nela ci andammo a fare visita e lo invitammo a trascorrere qualche giorno estivo qui con noi, a Poggiogrosso. Ebbene, sapete cosa ebbe il coraggio di dirmi?»

«Sentite, sentite…» incalzò Nela mentre si soffiava nervosamente con un ventaglio di pizzo nero.

«Io in mezzo a quella manicata di scimuniti che siete non ci vengo. Così mi disse!»

Calò il gelo nonostante il sole spaccasse le pietre roventi.

Don Raffaeluzzo e Lucia fecero istintivamente un passo indietro, Ottavia affilò il naso adunco che sembrò una lama, Nela si compiacque di quanta vivacità avesse messo il marito nel racconto e i bambini cominciarono a ridere scappando a destra e sinistra. Solo a Romualdo sembrò tutto fin troppo normale.

«Era fatto così», tagliò corto il marchese, «e quanto alle nostre figlie non ha mai sopportato le donne, era normale che non venisse a conoscerle.»

«Normale?» sottolineò polemica Ottavia. «E io dovrei farmi rovinare la villeggiatura da uno del genere?»

«Ottavia. Ti dissi basta con queste domande. Camina ora, viri chi a fari», disse risoluto Romualdo e poi rivolgendosi agli altri continuò: «Entro sera saremo a casa, non mi faccio vanniari da un paese intero. È morto pur sempre il fratello di mio padre».

«Ma Romualdo…» incalzò don Ciccio.

«Ciccio! A vuoi sapiri a verità? Lo zio Alvaro aveva ragione, buonanima. Siete tutti una manicata di scimuniti.»

Arrivarono a Palazzo Chiaramonte quando le campane della chiesa del Crocifisso stavano suonando le nove della sera.

Dalle quattro carrozze impolverate uscì fuori un corteo afflitto e nero, lento e silenzioso.

Il primo a scendere fu Romualdo. Lo seguiva don Ciccio con i suoi baffi inamidati e lucidi. Dietro stavano le due cognate, Ottavia e Nela, serrate in un lutto stretto in cui spiccava il solo fazzoletto bianco.

Poi fu la volta dei bambini, anche loro completamente in nero.

Per il canonico LoPresti e padre Egidio il colore della notte era prassi e dunque il trauma di quel vestiario risultò pressoché nullo.

Mario aveva preferito restare solo a Poggiogrosso. «Lo vedrò più tardi», aveva detto riferendosi al padre. «Farò sellare il mio cavallo e tornerò più velocemente.»

Il lutto venne imposto anche a tutto il personale di casa e di campagna e, come d'usanza, doveva durare sei mesi.

Allo scadere del sesto mese si sarebbe potuti passare al mezzo lutto, ovvero qualcosa di bianco in quel cielo di notte senza stelle. E solo dopo nove mesi, si sarebbe tornati a una vita normale.

Perché osservare un lutto non era solo vestire in un determinato modo.

Nessun balcone di Palazzo Chiaramonte avrebbe potuto essere aperto, nessuno avrebbe potuto affacciarsi. I pianoforti sarebbero stati chiusi a chiave e le visite limitate a quelle di cordoglio.

E così, quando alla perdita di un caro non corrispondeva un reale, straziante dolore, quella segregazione dentro le stanze buie, risultava ancor più penosa.

Il corteo salì il grande scalone di pietra pece e già sull'ultima rampa, certo di essere lontano da occhi indiscreti, iniziò a spogliarsi di quella scura ipocrisia.

Ben presto l'ingresso di Palazzo Chiaramonte divenne un ammasso di bauli, velette, tube e mantelli a ruota.

I bambini presero a rincorrersi, le due cognate si sedettero come sacchi vuoti su poltrone di velluto e i due fratelli cominciarono a dibattere sulle sorti di Mario.

Poi Maruzza, con la sua voce sgraziata e petulante, irruppe in quel consesso ancora stralunato dal viaggio e disse: «Oscenza, mi scusassi, ma se vuliti mangiari arrivò u cunsulo di vostra cugina, la baronessa Leva».

«Arrifriscu», fece Romualdo sbattendo la mano sulla spalla del fratello. «Almeno si mangia… Amuninni, forza.»

Restarono, però, tutti seduti, distratti dalla stanchezza, sazi di polvere dentro la bocca e sfiniti dal caldo e dall'umidità.

L'unica che si staccò dal gruppo e si fiondò tra le gambe di suo padre fu Giuditta.

«Che cosa è il cunsulo?» domandò alzando la testa e portandola indietro al punto da sbilanciarsi e quasi cadere. Ma Romualdo era troppo preso dalla fame e proseguì spedito verso la sala da pranzo senza degnare di uno sguardo la figlia.

Allora Giuditta si spostò verso sua madre che stava seduta accanto alla cognata. «Mamà, cosa è il cunsulo?»

Ottavia la guardò distrattamente poi prese il ventaglio nero, lo aprì, si soffiò fiaccamente e sospirò: «Giuditta cara, chiedi a Maruzza dell'acqua fresca, si muore di caldo questa sera…»

Ma Giuditta non era certo una bambina arrendevole e prese alle spalle don Ciccio tirandogli la giacca impolverata: «Zio, voi lo sapete cosa è un cunsulo?»

«Ma certo che lo so», rispose tronfio don Ciccio. «Vuoi che non lo sappia? Adesso vai a chiamare i tuoi cugini e andate a mangiare, di gran corsa per giunta!»

Giuditta serrò le labbra in un broncio e strinse le braccia intorno al petto. Restò in questa posizione di polemica e stizza per qualche secondo poi scappò in cucina.

«Don Nicola voi lo sapete sicuro cosa è un cunsulo, vero?»

Il monsù stava trafficando con i fuochi spenti da troppo tempo ed era di spalle, quasi inghiottito dal forno a pietra.

«Certo che lo so, sono cinquant'anni che cummatto con i cunsuli», disse senza mai voltare le spalle al fuoco.

«Allora me lo spiegate?» chiese implorante Giuditta facendo un balzo sopra il tavolo di marmo.

«Quando muore un parente, ma a siri un parente stretto, il cunsulo si riceve. Quando invece il parente è parente ma non è proprio così intimo, il cunsulo si prepara e si manda.»

Giuditta, perplessa, lo guardò e disse: «Non ho capito».

Don Nicola, allora, munito della pazienza dei vecchi e della compiacenza dei saggi, si allontanò dal forno e andò verso Giuditta.

«È una tradizione. Quando un parente muore, per confortare la famiglia che piange e si pìlia, gli altri parenti ci mandano il mangiare per la sera, per il mezzogiorno, pure per la colazione…»

«Ora ho capito don Nicola», fece Giuditta tutta contenta. «E la zia baronessa cosa mandò?»

«Mandò le cose che si mandano sempre», rispose il monsù. «Cibi leggeri e sostanziosi: brodo di gallina con i quadrucci, agglassato con il purè e biancomangiare. Poi mandò anche i firrincozza per la colazione di domani e tre pan di spagna. Ma vedrete signorina, nei prossimi giorni questa cucina sarà invasa da tutte le pietanze più strane. A verità è che quannu passa u duluri almeno resta a mangiata!»

Giuditta si mise a ridere mostrando una bocca ancora acerba, poi con un salto scese giù dal bancone.

«Dov'è Fortunato don Nicola?» domandò prima di andare via.

«Starà aiutando sua madre.»

«Don Nicola?» proseguì Giuditta. «Io da grande voglio fare il monsù.»

«Macari io avissi voluto fari u figghiu ro marchisi...» rispose don Nicola sorridendo e poi aggiunse: «Pazienza, signorina. Ognuno co mistieri so. Ora itavinni a mangiari». E così dicendo si rintanò dentro il forno, la sua vera e unica casa.

Capitolo 4

«Fofò, vieni, sbrigati…»

Giuditta era apparsa sotto il tavolo di marmo della cucina senza che nessuno si fosse accorto di lei.

Biascicava qualcosa facendo segni inconsulti con quelle mani piccole e delicate e si arruffava i capelli neri facendo delle facce buffe.

Fortunato la guardò incuriosito e poi indicò con una matita suo padre ai fornelli.

«Devi venire!» incalzò Giuditta alzando di un poco la voce.

Per fortuna nessuno la udì. I fuochi accesi e il bollore dell'acqua rendevano ogni suono in quella grande cucina del tutto ovattato.

Fortunato stava, gambe a penzoloni, sulle fornacelle (quelle spente, naturalmente) e dominava da quella posizione ogni singolo avvenimento accadesse lì attorno.

In verità, da quando suo padre si era messo in testa che avrebbe dovuto imparare a leggere e scrivere, si era parecchio interessato ai libri e alla scrittura. Trascorreva le sue giornate con in mano un foglio e una matita, e trascriveva tutto ciò che i suoi piccoli occhi riuscivano a captare.

«Devo studiare», fece Fortunato usando solo il labiale.

Giuditta da sotto il tavolo si imbronciò. Serrò le braccia intorno al torace esile guardandolo torvo.

Lo fissò a lungo.

Lui provò a sfuggire a quello sguardo ma dopo un po' cedette. Cedeva sempre.

«Papà, posso andare a temperare la matita?» chiese con il suo solito e inconfondibile garbo.

«Sì vai Fortunato e, già che ci sei, se scendi nel dammuso dei caci mi sali un cosacavaddu nicu nicu e quattro cipolle.»

Don Nicola non si era neanche voltato dalla sua pentola di spezzatino. Aveva parlato lasciando lo sguardo appeso alla carne che cambiava colore, imbiondendo d'oro prima e arrossendo come una dama vezzosa poi.

Il bambino aveva fatto un salto, ricadendo sui talloni, ed era uscito dalla porta della cucina verso il corridoio di servizio che conduceva all'ingresso principale della casa.

Aveva sceso le scale a due a due arrivando nel primo cortile interno e si era diretto al dammuso dei caci.

Appena aprì la porta, nella penombra di quel luogo chiuso e illuminato solo da un lucernario, si trovò Giuditta di fronte.

«Non mi devi chiamare Fofò», disse prima ancora che lei cominciasse a parlare.

«Io ti chiamo come voglio!» rispose lei irritata.

«Fofò sembra il nome di un cane. Non mi piace.»

«A me non piace Fortunato. È un nome da vecchio.»

«Giuditta che vuoi? Stavo studiando!»

«Devi venire subito con me. Dobbiamo scendere al fiume», disse lei con gli occhi incantati.

«Al fiume? Ma niscisti pazza! Io mi sono allontanato per qualche minuto a prendere un cacio e quattro cipolle. E poi tu dovresti essere con il canonico LoPresti...»

Giuditta gli si avvicinò a qualche centimetro dal naso, erano praticamente identici nell'altezza ma Fortunato sembrava più alto per via di quei capelli ricci e biondi che si alzavano prepotenti dall'attaccatura della fronte.

«Tu sei uno spione!» disse Giuditta voltandosi di spalle.

«Spione io? E tu sei viziata!» aggiunse lui voltandosi allo stesso modo.

Restarono in silenzio spalle contro spalle e braccia conserte.

Poi uno dei due, non si sa chi per primo, scoppiò a ridere trascinando l'altro con sé. Ed era in quella risata fragorosa e felice che ogni giorno si suggellava la loro amicizia.

Finiva sempre così tra loro, a una lite corrispondeva una risata. Perché i bambini sanno far pace senza bisogno di chiedere scusa. Sanno dimenticare senza sentire ferito l'orgoglio. Sanno giocare senza la paura di sentirsi stupidi.

«Allora ci vieni al fiume?» domandò Giuditta sedendosi sopra una catasta di cassette di legno piene di bottiglie di vino.

«Ma a fari chi?» chiese Fortunato.

«A vedere se esiste davvero una cosa...»

«Una cosa, cosa?» provò a domandare Fortunato.

«Una cosa! Ti fidi di me?» chiese Giuditta sfidandolo.

Fortunato si ammutolì.

Cominciò a mordicchiarsi il labbro inferiore e a torturarsi una ciocca di capelli tra il pollice e l'indice.

Poi sbottò.

«Però è una gran camurria, Giuditta. Ogni volta ne combini una, t'arricuogghi da me che sono quieto e tranquillo e mi dici "Ti fidi di me?" Non funziona così. A te al massimo ti fanno dire quattro rosari in più mentre io scippo lignati. E se lo vuoi sapere me le danno con il cuppino di ferro!»

«D'accordo», disse la bambina saltando giù dalla catasta e scrollandosi di dosso la polvere di quelle bottiglie. «Mi sa che hai ragione. Per certe cose ci vuole coraggio. Scusa, Fofò. Ci vediamo dopo…»

«Ma tu dove vai?» chiese Fortunato.

«Al fiumeeeee! Allora sei sordo, oltre che vecchio…»

Fortunato prese le quattro cipolle che aveva raccolto dal sacco e le buttò per terra.

«E va bene. Camurria a te e al fiume. Amuninni!»

Passarono tra le stradine più segrete, nascondendosi come ladri al rumore di un carretto o al suono di un ambulante. Giuditta con il suo vestitino di mussola di lino azzurro, le scarpe bianche allacciate alla caviglia e le calze al ginocchio. E Fortunato con i suoi pantaloncini marroni, tagliati e riadattati da un paio di calzoni di suo padre ormai ridotti a brandelli. Con la sua camicia di flanella anche in primavera e con le sue scarpe bucate.

Correvano fuggendo dalla città in fermento, scendendo

la scalazza fitta di arbusti e ortiche e trovandosi, senza sapere come e perché, giù alla fiumara.

«Non abbiamo portato la borraccia», disse sudata ed esausta Giuditta.

«Però c'è il fiume», rispose Fortunato e, come puledri assetati, si andarono ad abbeverare in quello specchio d'acqua, bagnandosi i vestiti e schizzandosi il volto.

Poi si sedettero su una grossa pietra e si asciugarono la fronte.

«Quindi dove andiamo?» chiese Fortunato.

«La scorsa settimana, durante la lezione di storia, il canonico LoPresti disse che esistono delle chiese ruperti.»

«Si dice rupestri...» la corresse Fortunato.

«E tu come fai a saperlo?» chiese Giuditta.

«Io leggo. Tu ascolti, e di sfuggita...»

«Vecchio!» esclamò Giuditta e poi continuò: «Insomma queste chiese molte volte nascondono dei segreti...»

«Ma quali segreti?» domandò incuriosito Fortunato.

«Se lo avesse detto non saremmo qui... però ha aggiunto che vicino al fiume, sotto la casa del barone Guastella, anche noi abbiamo una chiesa ruperte.»

«Rupestre!»

«Quanto sei liscio Fofò», disse Giuditta ridendo.

«Non mi chiamo Fofò!» ribadì lui offeso.

«E invece sì...» E cominciando a correre gridò: «Fofò, Fofò, Fofò...»

Si inseguirono tra sterpaglie e rovi, cadendo e rialzandosi, inciampando sui rami di milicucchi in fiore e cespugli selvatici di gelsomino.

Sopra le loro teste, la città arroccata e gialla, circondata da un azzurro senza macchie pareva incantata e le molte campane di tutte quelle chiese vicine sembravano non suonare per quei bambini spensierati.

D'un tratto Giuditta si fermò e Fortunato le urtò la spalla.

«Non è quella la casa del barone Guastella?» domandò lei.

«Forse sì. Cu ci ha statu mai...» rispose Fortunato scettico.

«Sì sì. Ne sono quasi certa. La chiesa ruperte deve essere qui!»

Fortunato la guardò rassegnato, disse sottovoce «Rupestre» e la seguì.

Si inoltrarono in un sentiero scosceso, costeggiando il fiume che in quella parte si faceva molto più largo e profondo.

La vegetazione era sempre più fitta e i rami degli alberi, da una sponda all'altra, si univano impedendo ai raggi del sole di filtrare.

«Torniamo indietro? Se qualcuno si accorge che non siamo a palazzo finisce a schifiu...» propose Fortunato impaurito.

«Fofò ma hai paura?» domandò Giuditta spavalda.

«No. Quale paura... penso solo che stiamo facendo scantare tutti. È tardi.»

«Io penso che l'unico scantato sei tu...» sottolineò Giuditta prima di scorgere nella roccia innanzi ai loro occhi una fenditura a forma di arco.

«Dev'essere quella Fofò!» gridò tutta eccitata.

«Non mi chiamo Fofò e comunque non abbiamo una lanterna. Senti a me. Torniamo a casa e domani veniamo accompagnati.»

«Fofò. L'unica vera camurria tra noi sei tu! Io entro. Quando esco ti racconto.»

Giuditta cominciò a camminare spedita, sembrava che nulla turbasse quella esile bambina.

Fortunato restò fermo qualche secondo in più. Poi diede un calcio in aria e la seguì.

Quando i loro occhi, così diversi e grandi, si furono abituati a quel buio e quando le loro narici percepirono quel nauseabondo odore di umidità come naturale, uno scenario magnifico e inquietante si spalancò dinanzi a loro.

Figure di santi, alte quanto loro, campeggiavano sulle pareti.

Di fronte, in una piccola rientranza, con un altare di pietra al centro, c'era una figura con due dita alzate e una raggiera di luce dietro la testa.

«Dev'essere Dio», disse Fortunato fissando quelle immagini di rara bellezza.

«Ma Dio non sta in una grotta», precisò Giuditta con sufficienza.

«Però c'è nato», mormorò Fortunato fra sé e poi disse: «Il posto è bellissimo ma fuori è quasi buio. Dobbiamo andare…»

«Ma neanche per scherzo. Io devo trovare qualcosa di misterioso…»

«Giuditta non c'è nulla di misterioso qui dentro, u vuoi capiri? Dobbiamo andare altrimenti resterò in punizione fino a quando dovranno farmi il vestito con i pantaloni lunghi.»

Fortunato tremava, forse dal freddo ma più probabilmente dalla paura.

Quella grotta scura e maleodorante, e tutte quelle figure così severe e quello strano odore di candele gli mettevano ansia.

Prese Giuditta per mano e cominciò a trascinarla via, ma lei faceva resistenza. Si strattonarono a vicenda con quanta più forza possibile fino a cadere per terra.

«Me ne voglio andare!» gridò Fortunato con le lacrime agli occhi. «Questo posto mi fa scantare e fuori è ormai buio.»

Giuditta guardò l'uscita della grotta, la luce che entrava all'interno era sempre più debole.

Le immagini dei santi cominciavano ad allungarsi in ombre inquietanti.

Afferrò la mano di Fortunato e si alzò. Appena usciti dalla grotta, Giuditta lo guardò e disse: «Però ci torniamo, promesso?»

«Maria Santissima», rispose Fortunato e prima ancora che potesse finire quel giuramento con la mano sul cuore Giuditta sparì sotto i suoi occhi.

«Non so nuotare, Fofò. Aiutami, non so nuotare!» la sentì gridare poco dopo.

Giuditta stava aggrappata al ramo che aveva ceduto sotto i suoi piedi. Il fiume, che sembrava minaccioso in quel tardo pomeriggio di marzo, sembrava inghiottirla. «Provo a scendere.»

Fortunato si resse a un cespuglio e cominciò ad avvicinarsi all'argine del fiume. Prese un ramo e glielo allungò, sperando che il cespuglio reggesse il suo peso.

«Aggrappati! Amunì Giuditta, nun ti scantari...»

«Ho paura», gridava Giuditta annaspando.

Fu allora che quel bambino timido e pauroso decise di diventare un uomo.

Con un grosso respiro lasciò il cespuglio al quale si era abbarbicato ed entrò, a occhi chiusi, nel fiume.

E, con sua grande sorpresa, si accorse che l'acqua ghiacciata dell'Irminio gli sfiorava appena l'ombelico e che Giuditta si stava dibattendo, sfinita, in un metro d'acqua.

Si avvicinò a lei con sufficiente calma, le porse la mano alla quale lei si avvinghiò e la sollevò da quel galleggiare convulso. Iniziò a ridere a crepapelle, con l'acqua che gli si agitava intorno.

E anche Giuditta, svanita la paura e con i piedi poggiati su quel fondo fangoso, cominciò a ridere fino ad avere le lacrime agli occhi.

«Siamo nei guai, Fofò», disse a un certo punto spezzando l'incantesimo della felicità.

«Guai nivuri...» aggiunse Fortunato senza perdere il sorriso.

Risalirono l'argine, fradici e infreddoliti. Nessuno dei due parlò per tutto il tragitto.

Stavano a pochi centimetri di distanza, con la testa bassa e i pensieri in subbuglio. Ognuno di loro pensava alla punizione che avrebbe meritato e a quella che in realtà avrebbe ricevuto.

Attraversarono la città silente e scura, passarono per le stradine più buie per non essere visti e giudicati. All'improvviso videro il portone di legno di Palazzo Chiaramonte dove un capannello di gente discuteva animatamente.

Fu Nìria, il guardiano, il primo a scorgerli in fondo al corso.

«Turnarru, turnarru!» urlò a squarciagola. «San Michele fici u miriculu!»

Tutti gli altri si voltarono in direzione dei bambini e gli andarono incontro.

Le donne si facevano il segno della croce ripetendo strane litanie mentre gli uomini li incalzavano con domande di ogni tipo.

«Ma chi fu? Chi succiriu? Qualcuno vi afferrò? Vi vulieunu ammazzari?»

Fortunato e Giuditta restarono muti, il battito dei loro denti era più forte di qualsiasi altra parola.

«Facitili accianari, nun viriti ca stanu muriennu di friddu?»

Nìria si era fatto largo in mezzo a quella folla di curiosi e aveva preso i due bambini per mano.

Mentre salivano lo scalone di pece il guardiano cominciò a borbottare: «Cu tutto u rispiettu, signorina, stavolta sono mpruogghi niviri. Il marchese è furente, e tuo padre, Fortunato», e guardò il bambino, «è n'cazzatu comu un paladinu di Francia».

Quando anche l'ultimo gradino della scala fu salito il guardiano lasciò la mano dei bambini e con una affettuosa pacca sulle spalle li esortò a camminare.

Appena entrarono nel salottino azzurro, dove solo per la tragica occasione stavano riuniti insieme il marchese, la marchesa, don Nicola, donna Marianna, Giannina, il canonico LoPresti, Vastiano, Amalia, Ada e Rosalia, calò un silenzio assordante, interrotto, dopo qualche secondo, dal teatrale svenimento della marchesa.

Donna Marianna si precipitò in lacrime verso il figlio.

Il marchese invece restò immobile.

Li scrutò dalla testa ai piedi, rivolgendo loro uno sguardo di disprezzo.

«Esigo una spiegazione.»

Fu Giuditta la prima a fare un passo avanti e parlare. «Vedete padre, sono stata io. Volevo vedere la chiesa ruperte che c'è vicino al fiume.»

«Rupestre», puntualizzò il marchese.

«Fu il canonico LoPresti a dirmi che esisteva questa chiesa e che in questi luoghi avvengono fatti misteriosi…» aggiunse la bambina senza alzare lo sguardo.

Romualdo guardò il canonico che intanto si faceva sempre più piccolo, gli si avvicinò piano e iniziò ad applaudire. «Ma bravo il nostro canonico… invece di fare lezioni di storia si fissa cu sti storie di stregoneria e babbiati varie. Con voi parleremo dopo», concluse il marchese lasciando il canonico a rimuginare sulla morte che sentiva avvicinarsi.

«E dunque?» disse rivolgendosi ai bambini. «Come vi siete ridotti così?»

«Quando siamo usciti dalla grotta mi sono appesa a un ramo, che ha ceduto e io sono caduta nel fiume. È stato Fortunato a salvarmi», aggiunse Giuditta prima di scoppiare in un fragoroso starnuto.

«E quindi abbiamo l'eroe di Palazzo Chiaramonte?» disse ironico il marchese. Poi rivolgendosi a don Nicola aggiunse: «Mi auguro che questa volta la punizione sia esemplare!»

Il monsù calò testa, si avvicinò al bambino e gli diede uno schiaffo così violento da far girare la faccia anche a chi non era stato colpito.

«Non qui don Nicola», aggiunse il marchese atteggiandosi a magnanimo.

Il monsù fece un passo indietro e Giuditta tornò a parlare: «Lui non c'entra nulla, padre. Sono stata io. È solo colpa mia. Fortunato mi ha salvata. Punite me!»

«Stai zitta. So già come punirti», disse irremovibile Romualdo. «Piuttosto tu, Fortunato, non hai nulla da dire?»

Fortunato sgranò gli occhi. Avrebbe preferito essere picchiato ma non parlare in presenza del marchese.

Cercò di trovare il coraggio, lo stesso che lo aveva spinto a lasciarsi andare dentro il fiume, e disse: «Giuditta mi ha chiesto di seguirla in giardino per giocare all'aria aperta. Sono stato io a convincerla a scendere al fiume... Mi dispiace, Oscenza. Punitemi!»

Ci fu ancora un lungo silenzio nel quale poteva sentirsi distintamente il battito del cuore che correva all'unisono tra i due bambini.

«Avreste potuto morire», disse Romualdo. «Per due mesi non giocherete più insieme e non entrerete in cucina. Adesso filate ad asciugarvi e non fatevi vedere più!»

Don Nicola e donna Marianna presero Fortunato per mano e si allontanarono di spalle mentre Giannina abbracciò Giuditta e la condusse verso le camere da letto.

Ma prima ancora che Fortunato sparisse oltre la porta, Giuditta riuscì a intercettare il suo sguardo e a sussurrare: «Grazie, Fofò».

Fortunato si sentì incredibilmente grande, inaspettatamente forte.

Avvertì la mano ruvida e calda di suo padre sulla spalla che con la voce rauca gli diceva: «Fortunato, senti a mia. Delle fimmine non ti devi fidare mai. Sempre a mala strada ti portano. Fidati di me».

Restò con lo sguardo basso e annuì ma, in cuor suo, rideva.

Capitolo 5

Palazzo Chiaramonte, 15 aprile 1897

«Madama Dubois, mi scusassi se disturbo ma fu che il marchese vulissi parlari con la signorina Giuditta.»

Giannina era entrata nella stanza dove si tenevano le estenuanti lezioni di francese, sforzandosi, a modo suo, di parlare un italiano il più corretto possibile. E per rendere la cosa più credibile si era aiutata con le mani facendo apparire la richiesta di quel permesso come una recita parrocchiale.

«Ça va...» rispose Madame Dubois, accompagnando al suo assenso una esortazione verso le altre ragazze: «Mesdemoiselles, ricominciamo. Un, deux, trois...»

Giuditta si alzò silenziosa dalla sedia e sgattaiolò fuori. Oltre la grande porta di legno bianco trovò Giannina che batteva il piede nervosamente sul pavimento e Fortunato piegato in due dalle risate.

«Io coperchi a viautri due non ve ne faccio più. Na bona vota a Madama u capisci e finisci pi tutti a schifiu.»

Giuditta si portò la mano alla bocca per trattenere il suono delle sue risate mentre Giannina continuava a protestare.

«U capisti, Fortunato? Questa è l'ultima volta. La prossima ci entri tu, ca to bedda facci, e ci addumanni u permissu a Madama.»

Giuditta provò a mordersi il labbro per frenare quel riso e disse: «Si dice Madam, Giannina. Senza la a finale».

«Ma rumpitivi i rini... picciriddi viziati e scumunicati.» E così dicendo, se ne andò.

Giuditta e Fortunato si nascosero dietro una colonna, tutti allegri.

«Ma come mai mi hai fatto chiamare?» gli domandò.

«Sono arrivati quattro agnelli!» rispose lui.

«Ma davvero? Così presto?» chiese Giuditta entusiasta.

«Non è presto. Pasqua è fra quattro giorni e le impanate si mangiano il sabato a sciugghiuta re campani, e poi», aggiunse Fortunato, come fosse un esperto di teologia, «il venerdì non si può toccare la carne. Si mangia solo pane e si beve solo acqua.»

«Quindi restano solo oggi e domani per cucinare!» constatò Giuditta come se improvvisamente si fosse resa conto che il tempo le stesse scappando dalle mani.

Fortunato annuì. Calò testa e aggiunse: «Ci dobbiamo sbrigare. Papà ha detto che se vuoi imparare a fare le impanate questa è l'occasione giusta. La farina è di ottima qualità e pure l'olio di quest'anno risultò delicato».

«E con Madame come facciamo?» chiese Giuditta scettica.

Fortunato appoggiò la testa fra le mani e alzò gli occhi al cielo. Cominciò a pensare, facendo roteare le pupille prima a destra e poi a sinistra, e infine disse esultante: «Lo chiediamo a Giannina!»

«Ma figurati... non l'hai sentita? Ha detto che questa era l'ultima volta», rispose sconfortata Giuditta.

Allora Fortunato le si avvicinò all'orecchio, mettendo le mani a mo' di amplificatore della voce e sussurrò: «Ieri l'altro, nel dammuso dell'olio, ho visto Giannina e mastro Gnazio che si davano un bacio».

«Un bacio?» esclamò tra la sorpresa e lo sconcerto Giuditta.

«Un bacio», ripeté Fortunato abbassando ripetutamente la testa.

«Ma che schifo! Loro sono amici», continuò Giuditta facendo una smorfia di dissenso.

«Lo so. Ha fatto schifo anche a me. Però quando hanno sentito un rumore si sono allontanati subito e lei è diventata tutta rossa. Secondo me il piacere ce lo fa...»

Cinque minuti dopo Giannina, con una faccia tanto severa quanto preoccupata, bussò alla porta di Madame Dubois.

«Madama, anzi Madam, mi dispiace assai assai ca mi misi a camurria ma fu che il marchese si portò la signorina Giuditta e mi disse che vi dovevo dire che per oggi non farà lezione.»

La povera Giannina aveva le mani grondanti di sudore e la bocca impastata dalla paura di sbagliare.

«Oh Gianninà, très bien, très bien, au revoir.»

La cameriera restò interdetta sull'uscio, impalata sopra la sua mattonella di pece senza andare né avanti né indietro.

Fu Amalia che intervenne, resasi conto di quell'imbarazzo e disse: «Puoi andare Giannina. Madame ti ha salutata».

Giannina riprese a respirare, fece un sorriso forzato mostrando qualche buco nero in mezzo ai denti bianchi e si tirò la porta dietro le spalle.

«Che ti ha detto?» domandarono i bambini che si erano nascosti dietro una consolle.

«Parole streuse, cose francisi di quelli della Francia.»

«Ma ci ha creduto?» chiese Fortunato.

«E chi ni sacciu?! O ci ha creduto, o non ci ha creduto tu a stari mutu. U capisti?»

Fortunato annuì contento e prese Giuditta per mano, lasciando la cameriera a guardare le loro schiene che sfumavano lentamente tra i colori sgargianti di quella mattina di aprile.

I due ragazzini percorsero il lungo corridoio laterale per evitare di attraversare i salotti dove avrebbero potuto incontrare la marchesa o Romualdo stesso, e in una folata di vento si trovarono in cucina.

«Eccoli i nostri piccoli monsù», disse soddisfatto don Nicola con il grembiule bianco completamente imbrattato di rosso.

«È sangue o pomodoro?» chiese Giuditta inquieta.

«Con il sangue dell'agnello, l'angelo di Dio segnò le porte dei bambini che sarebbero stati risparmiati dalla strage d'Egitto. Vinissi ca, signorina Giuditta…»

Giuditta si avvicinò al monsù e lui le sporcò il palmo della mano con una goccia di sangue.

Poi ordinò a Concetta di prendere u scanaturi di legno e di sistemarlo al centro della cucina.

«Oggi si travagghia assai. Se avete tutto questo gran

piacere di insignarivi comu si fanu le impanate dovete vedere dal primo all'ultimo procedimento. Dovete rispettare i tempi della pasta e vi dovete stampare nella testa come si fa il condimento dell'agnello. Anni ci vogliono per affinare la tecnica, perché a m'panata non è un piatto: è un miracolo. Infatti si mangìa u sabatu a sira, quando le campane di San Vincenzo suonano le otto e u Signuri risuscita.»

I bambini restarono incantati, lo guardarono rapiti e sognanti.

«E poi», continuò don Nicola, «dovete chiudere la bocca e v'ata lavari i manu.»

Giuditta fu la prima a destarsi da quell'incantamento. Chiuse la bocca facendo sbattere l'arcata inferiore contro quella superiore e si lavò le mani strofinandole per bene con un rimasuglio consunto di sapone di casa. Quando tornò in cucina don Nicola, aiutato da donna Marianna, aveva già creato una grande montagna di farina sul ripiano di legno. La bambina osservò quella piramide bianca perfetta e poi volse lo sguardo su ogni singolo elemento sopra quel tavolo.

C'era dell'acqua calda dentro un quartino di vetro, l'olio giallo dentro un recipiente di ferro smaltato, un pezzo di sugna in una tazza di porcellana, il sale, un barattolo piccolissimo con dentro qualcosa di molliccio e chiaro e un grandissimo lemmo di terracotta, smaltato di verde all'interno, completamente vuoto.

«A matinata fa a jurnata», disse sorridendo don Nicola. «Ora signorina Giuditta guardate quello che faccio io e poi lo fate anche voi, va bene?»

Giuditta era emozionata. I suoi occhi brillavano come gocce di rugiada in una mattina fredda e tersa di gennaio.

Sentiva le mani fremere e il cuore battere. Quella cucina, così linda nel suo perfetto disordine, le regalava una incontenibile allegria. Si guardò intorno felice. Ogni cosa era al posto giusto, ogni gesto calcolato, ogni colore calibrato. Aveva aspettato quel momento come la più bella promessa: «A Pasqua vi faccio fare le impanate», aveva detto don Nicola e lei si era affezionata a quelle parole accarezzandole ogni giorno.

«Allora cominciamo?» domandò il monsù.

Fortunato, che si era prontamente munito dei suoi fogli e di due matite per annotare ogni singolo dettaglio di quella giornata, si limitò a fare un cenno con la testa.

Giuditta, invece, aveva espresso un «Sì» acuto e frenetico.

Don Nicola, con la mano destra, creò un piccolo cratere nella farina e gli versò dentro un po' d'olio e un pizzico di sale. Poi prese la sugna e cominciò a sfregare la farina con il grasso del maiale. «È tutto un lavoro di braccia. Con il calore delle mani la sugna si scioglie e s'impasta con la farina. Marianna», disse rivolgendosi alla moglie, «mettimi tanticcia di acqua.»

Don Nicola si muoveva con una straordinaria agilità sopra quel tavolo di legno. Il suo rapporto con quella massa ancora informe di farina, olio, sugna e acqua non era bellicoso. Non sembrava una guerra bensì una danza.

«Ma quali sono le quantità, papà?» chiese Fortunato.

«Chistu è fissato con le quantità. Non ci sono quantità, Fortunato. La pasta impastata si fa a occhio. Quando vedi ca ti pigghia facci allora è buona», rispose il monsù con il piglio di un rimprovero.

«Pigghia facci?» ripeté Giuditta incuriosita.

«Significa, signorina, che quando la pasta sarà impastata dovrà risultare liscia, morbida; deve avere una bella faccia, mi capite?»

Giuditta sorrise. Non aveva mai udito quell'espressione e la trovò magnifica.

«Adesso dobbiamo mettere il lievito», annunciò don Nicola come se li stesse iniziando a un rito sacro.

Aprì il barattolo con il contenuto molliccio e ne prese un pezzo.

«Nelle impanate se ne mette pochissimo. Un pizzico appena, giusto per rendere più friabile la pasta.»

Gli ingredienti c'erano tutti e nell'arco di qualche minuto, quella danza, quell'unione mistica tra le mani di don Nicola e tutti quegli ingredienti creò una palla perfetta, liscia e bianca, morbida e corposa, rotonda e profumata.

Il monsù la prese tra le mani come un bambino appena nato e la mise sotto gli occhi increduli di Giuditta e Fortunato.

«Adesso si copre con un panno di lino, mi raccomando di lino, e si fa riposare per un'ora.»

«Due ore Nicola», disse donna Marianna che fino ad allora non aveva proferito parola.

«Ma sei sicura?» domandò il monsù infastidito da quella interruzione.

«Sicurissima», rispose secca la moglie.

Don Nicola fece una smorfia e continuò.

«Ora prendiamo l'agnello.»

Giuditta sperava in cuor suo di trovare un animale da sezionare, invece trovò dei semplici pezzi di carne già pronti per essere preparati.

«Vostro padre non vuole animali morti in cucina...» sussurrò piano il monsù che si era reso conto della delusione nello sguardo della bambina.

«Bisogna condire la carne, e per questo, figlio mio, ci vogliono finalmente le tue tanto amate quantità.»

Fortunato si sentì chiamato in causa e sgranò i suoi grandi occhi azzurri. Giuditta lo guardò compiaciuta.

«Per ogni chilo di carne ci vuole un cucchiaino da caffè di pepe nero, uno da tè di sale, e tre cucchiai da brodo di olio.» Fortunato scriveva velocemente per paura di perdere anche un solo passaggio, tenendo una matita tra i denti e una tra le dita.

«Dunque, signorina Giuditta, questo fatelo voi», disse il monsù passandole la bottiglia dell'olio.

Giuditta chiese quanti chili di carne aveva da condire e cominciò a fare di conto con le dita. Quando fu certa di non sbagliare versò il sale, il pepe e l'olio dentro il grande lemmo di terracotta e prese a massaggiare ogni pezzo di carne con quell'intruglio. Sentì le mani scivolare dentro quel mondo fatto di sapori, odori e tatto.

Chiuse gli occhi e iniziò a danzare. E più danzava più le sue mani si intrufolavano nella carne rendendola un tutt'uno con gli altri elementi. Cominciò a muovere ogni muscolo del suo corpo e ben presto anche i suoi piedi seguirono il flusso di quella musica lontana. Quando si destò, con un sorriso stampato in viso, trovò lo sguardo di Fortunato a pochi centimetri dal suo.

«Ma stavi sognando di ballare con l'agnello?» chiese Fortunato ironico.

Giuditta avrebbe voluto dire di sì ma provò imbarazzo. Cambiò subito discorso chiedendo quando avrebbero cominciato a preparare le impanate vere e proprie e se le due ore di lievitazione fossero passate.

Le due ore necessarie alla lievitazione trascorsero. Don Nicola riunì i due ragazzini e sentenziò: «Io faccio le prime. Poi Fortunato ne preparerà una che mangeremo io e sua madre e voi, signorina, ne preparerete una che serviremo al signor marchese».

Giuditta ne fu sorpresa. Aveva sperato di cucinare e di imparare quel piatto così prelibato ma non avrebbe mai sperato di cucinare per suo padre.

«Gli farete una sorpresa», continuò il monsù. «Quando vostro padre avrà assaggiato l'impanata, che è uno dei suoi piatti preferiti, gli direte che siete stata voi a prepararla.»

Giuditta allargò le labbra mostrando i suoi denti ancora incerti sulla direzione da prendere e abbassò la testa più volte senza dire nient'altro.

Don Nicola con il matterello fece un cerchio quasi perfetto, lo sistemò in una teglia di ferro rotonda e sufficientemente profonda da contenere il ripieno di carne che avevano preparato. Poi fece un altro cerchio leggermente più piccolo e, con una straordinaria abilità, chiuse le due parti.

«Adesso viene il bello. Una impanata fatta come Dio comanda deve avere u rieficu perfetto.»

D'un tratto sembrò che ogni rumore di quella cucina si fosse zittito. Tutto si era fermato per osservare quell'ultimo passaggio. Anche il respiro dei ragazzini e quello di donna Marianna si era silenziato di colpo. Lo guardarono con attenzione e videro che quelle mani grosse e callose si erano trasformate in mani da pianista, leggere come una foglia, sinuose come una voglia. Il monsù aveva preso le due estremità di ogni cerchio e le stava unendo tra loro in un intreccio che era un ricamo.

Quando ebbe finito sollevò l'impanata e si compiacque con se stesso. «Chista arrinisciu! Ora tocca a voi.»

Don Nicola si scostò lasciando il suo posto a Giuditta.

Ci vollero tre prove andate male e qualche pezzo di carne caduto per terra prima che Giuditta potesse preparare la sua piccola impanata. Ma quando quel cerchio poco rotondo e quel ricamo poco rifinito si palesarono sotto le sue mani, provò una soddisfazione che non aveva mai avvertito.

E si sentì immensamente brava, straordinariamente grande e sufficientemente intelligente.

Tutto quello che avvenne dopo fu un gioco. Fortunato che non riusciva a fare un cerchio di pasta, donna Marianna che attizzava il fuoco, don Nicola che preparava altre impanate sempre più rotonde. Era tutto un lieto corollario intorno alla sua creazione.

«E adesso bisogna infornarle. Bravi ragazzi! La prima impanata che esce è vostra!»

Don Nicola si sedette, sfinito, sulla sedia impagliata. Il forno era compito di sua moglie e lui preferiva godersi quella scena con un bel bicchiere di vino rosso e aspettare che le sue creature uscissero cotte e dorate come spighe di grano.

Giuditta ringraziò il monsù e sua moglie e disse che avrebbe dovuto prepararsi per il pranzo. Poi si rivolse a Fortunato dicendo: «Fofò è anche mia la prima che esce. Mi raccomando: non te la mangiare tutta».

Fortunato si portò la mano sul cuore e le regalò un giuramento sincero: «Maria Santissima», disse con gli occhi pieni di verità. Come sempre, del resto.

Il sabato di Pasqua non tardò ad arrivare. Dopo un estenuante venerdì di processioni, silenzi, rosari e digiuni, la mattina del sabato sembrò una rinascita per tutti.

«Oggi pranzerà con noi anche il canonico LoPresti; dopo tutti questi anni trascorsi con voi, care ragazze, ho ritenuto opportuno che fosse presente in questa ricorrenza.»

Il marchese si era seduto al suo solito posto a capotavola, aprendo il tovagliolo e poggiandoselo sulle gambe.

Ottavia stava seduta alla sua destra mentre alla sua sinistra c'era Amalia.

In virtù dell'illustre ospite il posto alla destra della marchesa venne riservato al canonico.

Accanto ad Amalia stava invece Ada, seguita da Rosalia. A Giuditta toccò l'ultimo posto, una sorta di anello di congiunzione tra il canonico e sua sorella: tra il rigore e la libertà.

«Canonico, io spero che voi apprezziate le impanate. Dovremmo informarci se siano state di gradimento anche a Nostro Signore...» Il marchese sorrise e, prima che il canonico si infilasse nella dissertazione storica della trascrizione culinaria giudaica, batté le mani due volte e ordinò a Giannina e Concetta di cominciare a servire.

«Che meraviglia!» esclamò Romualdo vedendo passare quella sfilata trionfale di pasticci succulenti.

Giannina tagliò una fetta di impanata per tutti e riservò la fetta di quella preparata da Giuditta per il marchese.

Quando tutti furono serviti, tra gli effluvi invitanti che provenivano dalla apertura fumante dell'impanata, il canonico si dedicò alla preghiera.

Ringraziò Dio per il cibo, e la Madonna per la salute. Ma non lesinò di ricordare i santi Cosma e Damiano, san Gioacchino e sant'Anna, santa Elisabetta e san Guglielmo. E quando aveva preso a ringraziare anche gli angeli Romualdo lo fermò e disse: «Credo che gli angeli sarebbero più felici di saperci sazi».

Alla prima forchettata scese un silenzio composto. Ognuno era assorto nel suo piatto tranne Giuditta che non smetteva di togliere gli occhi di dosso a suo padre.

Chiunque, canonico compreso, si spese in complimenti sulla pasta, sull'agnello, sulla cottura e sul condimento. Tutti, tranne Romualdo.

Il marchese aveva una faccia dubbiosa, incerta. Bevve mezzo calice di vino e ricominciò a mangiare. Nel frattempo Giuditta prese il coraggio a due mani, si alzò e chiese di poter parlare. «Scusate se vi interrompo, padre. Ma volevo dirvi una cosa.»

«Ben detto, Giuditta! Quasi dimenticavo… Siediti, parlerai dopo, ora tocca ad Amalia.»

Giuditta si sedette sbigottita e delusa.

Amalia, invece, prese il tovagliolo che aveva sulle gambe,

lo poggiò sul tavolo con la sua solita grazia e si alzò che sembrava volasse.

«Mie carissime sorelle, canonico LoPresti, Mamà... ho il piacere di annunciarvi il mio fidanzamento con Mario.»

Tuonò un fragoroso applauso seguito dai compiacimenti del canonico, dall'abbraccio di Rosalia e Ada e dalla benedizione di Romualdo e Ottavia.

L'unica a rimanere interdetta, come se quella notizia fosse arrivata come uno schiaffo non previsto, fu Giuditta.

Si limitò a dire: «Ma tu hai diciassette anni e il cugino Mario ne ha venti più di te».

Fu il canonico a bloccare quella sovversiva ipotesi di modernità ricordando a quella ragazzina impertinente che diciassette anni rappresentano l'età più saggia per contrarre matrimonio e che l'unione con un uomo più maturo, nonché con un parente, risulta essere la scelta più logica e soprattutto più corretta.

Giuditta abbassò lo sguardo e si scontrò faccia a faccia con l'impanata ancora intonsa. Tutto intorno era un rumoreggiare confuso di stoviglie e bicchieri, di conversazioni sulla data del matrimonio e sull'abito da sposa. La frivolezza di quell'evento stava invadendo la vita di Palazzo Chiaramonte e Giuditta sentiva sulla pelle il vento gelido della novità.

Il canonico e il marchese ripresero a mangiare, lasciando alle donne il gusto della immaginazione di quella evanescente felicità.

Romualdo addentò la sua impanata con la solita faccia dubbiosa, poi chiamò Giannina. «Ma chi l'ha fatta questa impanata?»

Giannina guardò interrogativa Giuditta che ricambiò lo sguardo scuotendo leggermente la testa, prima a sinistra e poi a destra.

«Don Nicola, Oscenza, iddu fu!»

«E allora don Nicola perde colpi… ma oggi è festa. Non mi voglio avvelenare la giornata.» Riprese il suo calice di vino e ne bevve un altro sorso, poi chiese: «Giuditta e tu che volevi dirmi, stai muta come un pesce e non hai mangiato nulla… non piaciu manco a tia l'impanata?»

«No padre», rispose con la voce rotta, «non mi sento molto bene. Volevo solo chiedervi il permesso di potermi alzare.»

«Permesso accordato signorina, ma non ti abituare», rispose Romualdo distratto dalle cassate in arrivo sulla tavola.

«Non mi abituerò», rispose Giuditta posando il tovagliolo sul tavolo, poi scappò fuori dalla sala da pranzo prima che le sue stesse lacrime potessero affogarla nel periglioso mare della delusione.

Capitolo 6

Palazzo Chiaramonte, 17 aprile 1897

«Giuditta lo so che sei lì, esci fuori!»

Amalia era seduta davanti alla toletta della sua camera e dal riflesso dello specchio aveva visto, nascosta sotto il letto, lo stivaletto di vernice bianca di sua sorella.

«Ti verrà la febbre se resti sdraiata per terra.»

Giuditta provò a trattenere il respiro ritirando d'istinto la scarpa ma poi cedette. Buttò fuori tutta l'aria che aveva trattenuto e uscì, come una ladra, divincolandosi fra il tulle del copriletto.

«Ma perché ti nascondi?» domandò Amalia pettinandosi la lunga chioma bionda che le scendeva sopra un seno appena accennato.

Giuditta non rispose, alzò semplicemente le spalle e mugugnò qualcosa di incomprensibile. Poi assunse la sua solita posizione di chiusura, di rabbia e dissenso contro il mondo intero; si cinse il petto con le braccia e mise il broncio.

«Sei arrabbiata con nostro padre per via dell'impanata?» chiese Amalia con fare materno.

«E tu come lo sai?» rispose incuriosita Giuditta.

«Io so tutto. Vedo ma non parlo, ascolto ma non dico...»

«No», disse Giuditta tirando su con il naso. «Mi è dispiaciuto ma non sono arrabbiata per questo, tanto io continuo a cucinare che vi piaccia o no!»

«E fai bene!» esclamò Amalia poggiando la spazzola sul piano di legno per iniziare a farsi una treccia. «Dunque se non sei arrabbiata per questo, perché lo sei?»

Giuditta si grattò la testa un po' imbarazzata e poi balzò sul letto.

«Togliti le scarpe», le intimò Amalia.

Lei si slacciò gli stivaletti bianchi, li andò a sistemare accanto al comodino prendendosi quanto più tempo possibile e poi si sedette nuovamente sul letto a gambe incrociate.

«Quindi?» la esortò Amalia. «Parli tu o ti faccio parlare io a suon di solletico?»

Giuditta sorrise ma quel sorriso era velato dall'incontenibile desiderio di parlare. Provò a resistere ancora un po', combattendo quell'inutile battaglia che spesso si dichiara a se stessi e poi si rassegnò.

«Perché ti sposi?» chiese abbassando lo sguardo per evitare che il suo di bambina non reggesse quello di donna di sua sorella.

Amalia si alzò e andò a sedersi accanto a lei sul letto.

«Mi sposo perché è arrivato il momento. Mario ha chiesto la mia mano a nostro padre e lui ha acconsentito.»

«Ma Mario non parla, non ride mai, è sempre triste. Tu sei sicura che non sia muto?» domandò seria Giuditta.

«Sicurissima», rispose sorridendo Amalia. «Mario non è di molte parole ma è un uomo saggio, pieno di sorprese.»

«Sorprese? Il cugino Mario? Non ci crederò mai», fece Giuditta scuotendo la testa.

«E invece ti sbagli; non lasciarti mai condizionare dalle apparenze. Quello che sembra a prima vista potrebbe non essere e viceversa. Mario ha studiato tanto, conosce molte cose e ama la tranquillità. I suoi silenzi sono frutto solo di una grande timidezza. Staremo bene insieme, vedrai.»

Giuditta fece una smorfia inarcando il labbro superiore e poi domandò: «Ma non è vecchio?»

«Donna a diciotto, uomo a ventotto!» esclamò Amalia facendo riferimento a un antico adagio.

«Ma lui non ne ha ventotto, ne ha trentasette!» sentenziò Giuditta.

Amalia allora le carezzò le guance diafane e gli zigomi pronunciati. Seguì con l'indice il profilo del naso, la forma degli occhi e la fronte e le toccò i capelli. «Dio mio quanto sei cresciuta, Giuditta mia. Ricordo perfettamente il giorno in cui sei venuta al mondo. Eri un po' bruttulidda però ti ho voluto bene da subito.»

«Ero brutta davvero?» chiese Giuditta incuriosita.

«No, brutta no. Bruttulidda... avevi il naso schiacciato e una bocca grandissima aperta e strillante. Non ti calmavi con nessuno, neanche quando la balia ti dava il latte. Stavi buona solo quando ti accarezzavo io. Per me eri come un pupo di pezza, giocavo a fare la mamma con te.»

Giuditta la guardò intenerita. Pensò che quel gioco con gli anni si era trasformato in realtà e che lei, in quella piccola donna che adesso stava prendendo il volo verso una strada diversa dalla sua, aveva visto davvero una madre. Le era stata vicina durante i temporali, quando la luce squarciava le tenebre e lei si sentiva morire. O nei rimproveri aspri del padre per la mancanza di impegno nello studio o per le fughe improvvise e non giustificate dal canonico LoPresti. E ancora nella sua passione per la cucina, disprezzata e minimizzata da tutti. Amalia c'era sempre, con quel sorriso accennato e la fossetta sulla gota sinistra. C'era con la sua placida serenità, con le sue risposte mai categoriche, con le sue verità piene di dubbi. C'era nelle giornate afose con una limonata fresca da condividere e nei pomeriggi grigi d'inverno, tra un rosario e una messa, tra uno sguardo e un affettuoso rimprovero. E mentre la mente volava tra i ricordi di una esistenza condivisa, Giuditta ebbe paura di perderla. Le si avventò sul collo esile e la abbracciò forte, così forte da farle mancare il respiro.

«Non voglio che te ne vai», disse singhiozzando mentre rivoli di lacrime salate le rigavano il viso per poi cadere giù e perdersi.

«Ma non andrò lontano», le sussurrò all'orecchio, «e tu potrai venire quando vorrai. Guardami, Giuditta», le disse alzandole il mento. «Un matrimonio è l'inizio di un nuovo percorso, di una nuova vita ma non implica la chiusura con quello che c'è stato prima. Voi resterete sempre la mia famiglia e tu sarai la mia adorata peste, oggi come domani.»

«Potrò venire davvero?» chiese Giuditta asciugandosi gli occhi con la manica del vestito.

«Tutte le volte che sarai triste e anche quelle in cui sarai così felice da voler parlare con qualcuno, e tutte le volte in cui avrai voglia di scappare da tutto e da tutti e le volte che invece vorrai stare semplicemente in silenzio davanti a me. E quando sarai annoiata, quando le giornate ti sembreranno inutili e lente o solo per abitudine, perché avrai percorso quella strada talmente tante volte da non poterne fare più a meno. La porta di quella casa sarà sempre aperta alla mia piccola monsù.»

«E mi farai cucinare?» domandò Giuditta trasformando quel luccichio di commozione negli occhi in euforia.

«Certo che sì. Avrò bisogno di una esperta conoscitrice delle ricette della nostra tradizione.»

Si guardarono complici. Per l'ennesima volta, dentro quella stanza che le aveva viste crescere mano nella mano, Amalia aveva sollevato Giuditta dalle sue insicurezze, da quella feroce paura che ti assale quando d'un tratto scopri che nulla resta identico a se stesso ma tutto muta in un continuo divenire che smonta i piani e cancella le speranze.

«Sorellina?» fece timida Giuditta molleggiandosi sul letto. «Posso dormire con te stanotte?»

Amalia ci pensò un attimo, poi la guardò ridendo e scostò le coperte. «Salta dentro, peste. Ma non farmi fare la notte di Natale…»

Giuditta la guardò soddisfatta e si mise una mano sul cuore. «Starò ferma come un palo. Maria Santissima. Come dice Fofò.»

Quando la mattina seguente Giannina entrò in camera da letto e aprì le persiane della stanza per fare entrare la luce del giorno, trovò Amalia rannicchiata in un angolo del letto e Giuditta distesa a quattro di mazze.

«Cose di scimuniri», gridò la cameriera risentita. «Mancu u scantu ca pigghiai quando trasì nella stanza di Giuditta e non trovai nessuno. Ma tutto mi putia fiurari tranne che, pudditruna e comu siti, eravate curcati insieme…»

Amalia e Giuditta non ebbero neanche il tempo di metabolizzare quello che stava succedendo, sgranarono gli occhi e restarono imbambolate, con le labbra socchiuse e lo sguardo appannato.

«Ma poi vuiautri signorina Amalia, a fari cuntu ca vi spusati e faciti ancora a picciridda…» disse Giannina con le mani giunte che dondolavano avanti e indietro. «Forza ora, allistiemuni. Giuditta vatti a fari il bagno ca l'acqua è caura, e voi signorina Amalia vistitivi bona; vostra madre mi disse che alla messa di Pasqua delle undici verrà anche u vostru zito…»

Giuditta si alzò stralunata, come se l'avessero buttata giù dal letto in piena notte. Raccolse i suoi vestiti da terra e uscì dalla camera salutando Amalia solo con un cenno della mano.

Mancavano dieci minuti alle undici quando tutti i componenti della famiglia Chiaramonte si trovarono nell'ingresso principale del palazzo.

Il primo a uscire, trascinandosi appesa al braccio destro la moglie, fu Romualdo.

Dietro stava Amalia, stretta in un vestito di cotone bianco con delle roselline azzurre ricamate sul seno e sulla gonna.

E ancora dietro, in ordine di età e di altezza c'erano

Ada, Rosalia e Giuditta. Per ognuna di loro erano stati preparati i vestiti della festa, tutti uguali nel modello e tutti diversi nei colori. A Giuditta era toccato il rosa. «Io odio il rosa», disse a Rosalia che era vestita di verde pallido quasi tendente al giallo.

«Non è che questo colore sia più bello», replicò la sorella guardandosi la vita del vestito troppo larga per la sua che si stava già restringendo assumendo sembianze sinuose di donna.

«A te, Ada, piace il tuo azzurrino pallido?» chiese Giuditta dubbiosa.

«Certo», rispose Ada con la sua solita, sconvolgente felicità. «Oggi è un giorno di festa, Nostro Signore è risorto per salvarci. Questo colore non poteva essere più bello.»

Giuditta e Rosalia si guardarono sbuffando e cominciarono a scendere le scale.

Risalirono il corso principale di Ibla nella stessa, identica formazione fino alla grande scalinata di San Giorgio. Il marchese si profondeva in saluti e nel calare testa a tutti gli «Oscenza binirica» che mieteva al suo passaggio mentre la marchesa si limitava a restituire uno sguardo di sufficienza e perlopiù sofferto.

Salirono la scalinata come se ogni gradino fosse una montagna da scalare e quando si trovarono nella navata centrale l'attraversarono ebbri di un lieto e soddisfatto autocompiacimento.

Erano purtuttavia giovani, con quattro figlie da maritare bene e una invidiabile posizione sociale, ancor prima di quella economica.

Si sedettero nei posti a loro riservati, Ottavia coperta

da una veletta di pizzo nero, Romualdo impettito dentro il suo panciotto blu.

Amalia, Ada, Rosalia e Giuditta si sistemarono nel banco dietro ai genitori e pochi istanti dopo comparve Mario, inamidato dalla testa ai piedi, rigido come un tronco, impacciato come un elefante. Salutò Ottavia e Romualdo e prese posto tra Amalia e Ada.

Da quel momento l'intera chiesa cominciò a murmuriare.

«Quindi su ziti piddaveru... Ma iddu a siri vecchiu... cosi re pazzi! U marchisi si vinniu a figghia...»

Giuditta si guardò intorno infastidita e imbarazzata. Percepì chiaramente che quel rumoreggiare continuo era destinato a sua sorella e si rabbuiò. Si girò verso Amalia per captarne lo stato d'animo indignato ma si sorprese nel vedere uno sguardo languido rivolto a un uomo che per la prima volta sorrideva.

Giuditta si concentrò sul sorriso di Mario. Era diventato di colpo bello, con una dentatura bianca e perfetta e mentre sorrideva due rughe intorno agli occhi lo rendevano meno severo e più umano. Sentì scorrere sulla pelle una repentina sensazione di gelosia e un irrazionale fastidio, poi voltò la testa e si trovò faccia a faccia con Fortunato.

«Ma che ci fai qui?» disse piano per non essere udita dai suoi genitori.

«Alzati, ti devo far vedere una cosa...» rispose Fortunato tirandola per una mano.

«Non posso, sta iniziando la messa di Pasqua!» mormorò Giuditta cercando di divincolarsi da quella stretta.

«Dai, Giuditta! Alzati, dobbiamo andare subito, altrimenti dopo ci scoprono.»

Giuditta fece un grande sospiro, si guardò a destra e sinistra e si alzò.

«Tu sei cretino, Fofò. Se si voltano e non mi trovano finisce a schifio questa volta.»

«Sì», rispose Fortunato mentre la trascinava. «Però ne sarà valsa la pena», aggiunse con uno sguardo furbetto e misterioso.

Attraversarono la navata laterale e si infilarono dentro la sacrestia un secondo dopo che il lunghissimo convoglio di sacerdoti, canonici, chierici e chierichetti uscì da lì.

Fortunato si guardò intorno e, dopo essersi sincerato che nessuno li avesse visti, disse: «Seguimi».

Aprirono una porticina di legno a scomparsa nel muro e se la richiusero alle spalle.

«Siamo al buio Fofò, non vedo nulla», disse Giuditta con una sufficiente dose di paura in gola.

«Tra poco vedremo la luce, tu tienimi la mano, non puoi cadere.»

Camminarono così per qualche secondo che sembrò eterno, l'uno aggrappato all'altra, nella reciproca consapevolezza di una incondizionata fiducia.

Poi la luce cominciò a illuminare i loro passi.

«Dobbiamo salire le scale», disse Fortunato. «Ce ne sono tante…» aggiunse indicando una gigantesca scala a chiocciola, ricavata all'interno di un muro possente e infinito. Giuditta salì per prima mentre Fortunato le guardava le spalle qualora fosse inciampata. Quando giunsero, stremati, all'ultimo gradino, trovarono una porticina, non più alta di un metro.

«Fai passare me e quando l'avrò aperta non avere paura.»

Fortunato le passò accanto, così vicino da poterne percepire il fiatone caldo, e aprì lentamente la porta. Quello che si spalancò di fronte agli occhi increduli di Giuditta era lo spettacolo più sorprendente che avesse mai visto e mai potuto immaginare. Si trovavano, carponi, sul cornicione della cupola di San Giorgio. Un'altezza enorme li separava dal resto del mondo, una distanza incolmabile se non attraverso il volo. Il blu intenso delle vetrate si rifletteva sulla pelle e sui vestiti, così che quell'abitino rosa tanto odiato era finalmente diventato viola. Giuditta si sporse un po', mentre Fortunato le teneva forte la mano e vide delle minuscole figure muoversi sotto di lei.

Scorse i suoi genitori e Amalia accanto a Mario, Rosalia e Ada e tutti i chierichetti dietro l'altare maggiore intenti a giocare più che pregare.

«Ma tu non guardi Fofò?» chiese Giuditta entusiasta.

«Meglio di no», rispose Fortunato restando attaccato al muro. «Quest'altezza mi fa scantare.»

Giuditta allora si ritrasse, si appoggiò spalle al muro come lui e si fece trasportare da quel blu. Sembrava un mare immenso dove poter nuotare liberi.

«Lo hai saputo?» gli chiese.

«Sì», rispose lui senza aggiungere altro.

«La vuoi sapere una cosa, Fofò?» domandò Giuditta senza volere davvero la risposta. «Io non mi sposerò mai.»

Fortunato restò in silenzio, guardò in alto per evitare la paura del vuoto e disse: «Scendiamo?»

Giuditta annuì e quando finalmente infilarono la scala per tornare giù Fortunato disse: «Comunque neanche io mi sposerò: Maria Santissima!»

Capitolo 7

Palazzo Chiaramonte, 3 luglio 1897

«Nicola, Nicola...» Donna Marianna gridava euforica lungo il corridoio tenendosi la cuffietta bianca con una mano per evitare che cadesse. Aveva accelerato il passo così tanto che, a ogni saltello, quella massa considerevole di seno fluttuava indisturbata tra l'ascella destra e la sinistra. Entrò in cucina come se avesse percorso tutta la città correndo, paonazza, con le gote tempestate da una fittissima rete di venuzze rosse. Si sedette sulla prima sedia a disposizione e cominciò a sventolarsi con uno strofinaccio mentre un prepotente sorriso si impossessava dei suoi occhi prima ancora di farlo con la bocca.

«Ma chi fu? Che è tutto questo baccano?» chiese don Nicola un po' contrariato, mentre impastava tuorli color del sole con una candida farina bianca.

«Nun ci puoi crirriri...» rispose donna Marianna facendo volteggiare la mano come una voluta barocca.

Don Nicola si spostò dal grande tavolo di legno, si asciugò le mani sul grembiule e si posizionò a braccia conserte di fronte al viso entusiasta della moglie.

«Nzerta...» riprese lei con uno sguardo provocatorio.

«Mariannina ma chi ti pari ca haiu tempu di perdiri?»

«Mi mandò a chiamare la marchesa», riprese lei ignorando la provocazione del marito. «Quando Giannina mo rissi io mi scantai. Qualche tristura di Fortunato, pinsai. Poi quando trasì nella stanza, trovai la marchesa e la signorina Amalia con tanto di sorriso stampato sulla faccia. "Assittiti, Marianna", mi disse la marchesa e io: "Oscenza no, staiu addritta!"»

Donna Marianna si fermò qualche secondo e fece segno a don Nicola di prendere un bicchiere d'acqua indicando la bocca, spalancata e asciutta.

Il monsù si volse, prese il suo bicchiere, lo riempì d'acqua e aggiunse un dito di vino rosso.

«Bevi, cussì ti fa cala cala e ti veni la parola...»

Donna Marianna bevve tutto d'un fiato, si pulì le labbra con la manica del vestito e provò ad assumere una posizione elegante, cercando di incrociare tra loro le caviglie e le mani.

«"Marianna", mi rissi la marchesa, "come saprai Amalia si sposa alla fine di questo mese. È nostro desiderio che Fortunato porti le fedi agli sposi al momento dello scambio. È così bello, con i suoi riccioli biondi, e poi è così educato; lo consideriamo uno di famiglia... Pensi possa fargli piacere?"»

Don Nicola sbuffò, lo sguardo infastidito. «Lo trattano tipo pupo di pezza u figghiu miu...»

«U solito scimunitu», disse donna Marianna inviperita con le mani sui fianchi. «U picciriddu, che pari un principe, ha una bella occasione e tu devi sempre rovinare tutto.»

«Ma chi v'ata misu na testa?» continuò don Nicola che

nel frattempo aveva afferrato un matterello per tirare la pasta. «Fortunato è figghiu di monsù. Può portare fedi a chi vuoi, sempre figghiu di monsù resta!»

«E va bene!» borbottò donna Marianna. «Resta figghiu di monsù, ma intanto ci porta le fedi alla figlia del marchese. E a mia m'abbasta!»

Rimasero qualche secondo a guardarsi, don Nicola con il matterello in mano, impugnato come una clava, e donna Marianna con le mani sui fianchi e i gomiti sporgenti verso l'esterno.

Poi l'acqua, dentro la quale bolliva la borragine per la sera, iniziò a borbottare e il monsù trasalì. Si spostò verso le fornacelle incandescenti, lasciando sua moglie con una soave soddisfazione negli occhi: quella di avere avuto l'ultima parola.

«E sparti ti vuogghiu diri na cosa, Nicola», aggiunse donna Marianna prima di andare nell'anticucina a mondare patate per il purè. «Domani io e Fortunato nun ci siemu. Veni u sartu per le misure…»

Don Nicola strabuzzò gli occhi e spalancò la bocca senza emettere alcun suono.

«Inutile ca ti preoccupi. È un regalo della marchesa…» e mentre lo diceva, se ne andava gongolante, gomiti per aria e vittoria in pugno.

Il giorno successivo non tardò ad arrivare sebbene Fortunato, per l'emozione e, in parte, per l'imbarazzo, non aveva dormito tutta la notte. Lui il sarto lo conosceva ma solo di vista. Ogni tanto si erano incontrati nel cortile del palazzo e molto spesso Fortunato lo aveva visto rintanato nella sua bottega, all'angolo di via del Convento. Lo affascinava quel piccolo uomo che cuciva vestiti a suon di musica, con un grammofono collocato al centro di una montagna di stoffe, spagnolette, aghi, metri e cartamodelli.

Si chiamava Lillo Mezzasalma e aveva, come da tradizione, preso il posto di suo padre, anch'egli sarto. Era un uomo mite, con una mano fermissima e un taglio da grande sartoria. Ciò nonostante non era agevolato dalla sua altezza ai limiti del nanismo. Per prendere le misure ai clienti, don Lillo si arrampicava su uno sgabello pieghevole che non mancava mai di portarsi dietro, suscitando l'ilarità dei ragazzacci di strada che lo spiavano dentro la bottega e quella delle cameriere di casa che assistevano alle prove. Eppure lui sembrava disinteressarsi all'altrui scherno giocando una esistenza tra la musica e un filo appeso a un ago.

Il pomeriggio del 4 luglio, alle tre in punto, con la sua valigetta e il suo sgabello, si presentò a Palazzo Chiaramonte.

Rintanati, da più di mezz'ora, dentro la stiratoria stavano Fortunato, donna Marianna, Giannina e Giuditta.

«È il primo vestito che gli fa un sarto», disse donna Marianna soddisfatta rivolgendosi a Giannina.

«Che bella fortuna», rispose Giannina, «cominciare a tredici anni. U prossimu vistitu quannu ti spusi, vero Fortunato...?» aggiunse la cameriera schiaffeggiandogli affettuosamente la guancia liscia.

Lui ricambiò con un sorriso smaliziato, tenendo gli occhi bassi e mostrando le gote arrossate da un velo di imbarazzo. Poi alzò lo sguardo e trovò Giuditta in quella ineludibile posizione di chiusura e stizza: braccia conserte e labbra serrate in un broncio severo.

Fortunato lasciò a conversare sua madre e Giannina e si avvicinò a Giuditta. «Che succede?» domandò sedendole accanto.

«Niente!» rispose secca lei, chiudendosi ulteriormente in se stessa.

Fortunato alzò le spalle incassando la testa tra le scapole e il collo e inarcò le sopracciglia in uno sguardo interrogativo. Giuditta ricambiò con una occhiata gelida e piena di sdegno e senza farsi pregare aggiunse: «Sei ridicolo».

«E perché?» chiese Fortunato senza scomporsi.

«Perché ti sei fatto fregare. E sei pure contento. Ti piace avere il sarto che ti farà un vestito ma forse non sai che ti vestirà come una damina del Settecento.»

Giuditta era diventata rossa in viso, i pugni così tanto stretti da poterne leggere le vene. Aveva gli occhi lucidi e una rabbia trattenuta dentro i denti serrati.

«Ma io pensavo lo avessi voluto tu», disse Fortunato con la sua solita flemma.

«Io? Ma sei pazzo? Io non ti farei mai sfilare come un bamboccio…» Giuditta aveva assunto un'aria materna e adulta. Come sempre era lei a condurre il gioco e dominare il carattere mite e accondiscendente di Fortunato.

«Non ti preoccupare», provò a tranquillizzarla lui, «io non mi vergogno e poi mi fa piacere perché vedo mia madre felice.»

«Fofò, tu non capisci…»

E prima ancora che Giuditta potesse aggiungere altro, donna Marianna aveva cominciato a dire: «Fortunato, forza, alliestiti che il sarto è arrivato».

Fortunato si alzò dicendo: «Ne parliamo dopo».

Ma in verità non c'era nulla di cui parlare.

Per la prima volta Giuditta aveva avvertito una sensazione fastidiosa e incontrollabile. Era come se una parte di sé, la più vera, la più bella, le stesse sfuggendo di mano. Le risultava quasi insopportabile che Fortunato, vissuto all'ombra di fuochi sempre accesi, tra zucchero e sale, potesse diventare un oggetto da tenere in vista, un trofeo da mostrare. La irritava il pensiero di tutte quelle signore dell'alta società che lo avrebbero commiserato in quel vestito di taffettà azzurro, con i suoi riccioli d'oro e la sua disarmante fragilità. Sentiva il dovere di proteggerlo.

Ma non era solo tutela di una amicizia.

Giuditta era gelosa. Di una gelosia malsana e violenta, passionale e graffiante. Fortunato era il suo mondo felice, il silenzio colmato, il vuoto riempito dalla mancanza di Amalia, erano le fughe di libertà, la protezione contro i rimproveri, quella cucina che lei tanto amava. In quella placida accondiscendenza lei aveva trovato l'ordine alla sua inquietudine e sebbene non potesse ancora stabilire, per via dell'età acerba, il motivo del groviglio dell'anima che conduce alla gelosia, sentiva una rabbia struggente all'idea che Fofò fosse uscito dal guscio delle fornacelle per farsi ammirare dal mondo.

«Che dici? Ti piace di più verde o azzurro?»

La voce di Fortunato aveva riportato Giuditta in quella stanza. Si era concentrata a guardare il nulla pur di non guardare quel gruppo inquieto e felice davanti allo specchio.

«Azzurro», rispose lei senza neanche voltarsi. «Se devi fare la damina almeno falla bene.»

Fortunato abbassò lo sguardo e allungò la mano con la stoffa azzurra.

Don Lillo nel frattempo stava prendendo le misure. Sarà stata una bella soddisfazione poter fare a meno per la prima volta del suo sgabello. Alzandosi un po' sulle punte era riuscito a misurare spalle e torace appuntando tutto sul suo taccuino nero.

«La marchesa vuole una livrea sullo stile del Settecento», disse don Lillo soppesando le parole come se avesse dovuto pagarle.

«Bellissimo», tuonò donna Marianna battendosi la mano sul petto.

Giannina sorrise soddisfatta alla notizia mentre Fortunato si voltò di scatto a guardare Giuditta.

Lei era serissima, con una faccia eloquente più di mille parole. «Lo sapevo», disse usando solo il labiale.

Fortunato rispose «Fa niente» con la stessa tecnica di Giuditta. Sembravano due pesci dentro quella grande bolla d'acqua che era diventata la stiratoria.

Poi il sarto fissò l'appuntamento per la seconda prova e tutti furono sollevati e soddisfatti di avere superato la prima senza inconvenienti.

Donna Marianna e Giannina accompagnarono don Lillo alla porta e Fortunato e Giuditta restarono in silenzio dentro la stanza.

«Che poi le livree del Settecento sono belle...» disse Fortunato provando a sciogliere quella coltre di ghiaccio che invadeva luglio.

«Sono ridicole. Te l'ho già detto!»

«Mio padre sta preparando il pasticcio di carne e piselli per stasera. Andiamo?»

Giuditta ci pensò su per qualche secondo e poi disse: «Ci vengo solo se mi prometti una cosa».

Fortunato annuì.

«Quando ti sarai spogliato di quel ridicolo vestito tornerai a essere Fofò?»

Si guardarono seri, poi lui non riuscì a trattenere una risata allegra mentre un ricciolo gli ricadeva sopra l'azzurro dei suoi occhi.

«Maria Santissima», aggiunse, senza dimenticare mai la mano sul cuore.

Capitolo 8

Palazzo Chiaramonte, luglio 1897

L'ingresso di Palazzo Chiaramonte era un brulicare di gente, perlopiù ragazzi della fioreria che da due giorni arrivavano con mazzi e ceste di rose bianche. L'intera città era in fermento per il matrimonio di Amalia. Ne parlavano tutti, dal barbiere al tizio che vendeva vino sfuso fino ad arrivare ai monaci del convento di San Francesco all'Immacolata. Era l'argomento più discusso, talvolta dibattuto sotto il velo del pettegolezzo, altre con la sincerità augurale di un futuro raggiante.

«Ma santo Iddio», sbottò Romualdo mentre cercava di farsi strada tra i fiori e attraversare il salone d'ingresso. «Se dovessi guadare un fiume ci metterei meno e soprattutto meno inventiva.»

«Mi perdonassi Oscenza, ma mentre vado sistemando le ceste casa casa, ne arrivano altre e la stanza si riempie sempre.» Concetta aveva provato a giustificarsi ma non aveva ricevuto che uno sguardo tra la sufficienza e l'indifferenza. Romualdo nel frattempo si era dileguato, sbattendosi la porta del suo studio alle spalle e murmuriando qualcosa di incomprensibile.

C'era il sole alto quella mattina e un caldo torrido. Tutte le persiane della lunga infilata di salotti erano socchiuse affinché l'aria potesse circolare e i raggi incandescenti potessero restare fuori. La confusione regnava sovrana. La casa era stata rimessa a lucido per il ricevimento di nozze, le pareti dello scalone ripitturate dopo anni di incuria e i balconi traballanti rimessi a posto. Tutte le candele dei lampadari e dei candelieri sostituite e sistemati, finanche, alcuni affreschi di cui rimaneva solo un vago colore e un ancor più vago ricordo. Ma nonostante tutto sembrava che ancora ci fosse troppo da fare e troppo poco tempo per farlo.

Ottavia, la marchesa, era in eterna fibrillazione nella sua assoluta incapacità organizzativa. Andava continuamente chiamando la povera Giannina per ogni minima sciocchezza come se la gravità del fatto fosse irrisolvibile e poi si lasciava andare, teatralmente, sopra un sofà accennando uno svenimento dovuto all'ansia, alla stanchezza o al caldo.

Di fatto creava solo una terribile confusione, che unita a quella che già esisteva provocava un quarantotto che era passato da poco.

Ada e Rosalia si muovevano entusiaste per casa, l'una rivolgendosi continuamente a Dio, a san Giorgio e san Vincenzo, per la felicità matrimoniale di Amalia, l'altra per cose ben più frivole come lo stupore della gente per il vestito della sposa, per la riuscita del ricevimento e per la bellezza della torta nuziale.

Amalia appariva la più disincantata in quel vortice di felicità mal espresse. Stava perlopiù chiusa nella sua stanza con Rinuccia la pilucchera e con la signorina Di Bartolo che aveva curato il suo corredo e l'abito per le nozze. Ricontrollava con cura maniacale tutte le camicie da notte cifrate, i «saltaletto» da mettere sulle spalle nelle serate fredde, le vestaglie di seta e quelle di lino. C'era perfino una piccola parte del corredo dedicata a un ipotetico e auspicabile lieto evento.

E poi lenzuola, federe, tovaglie ricamate e una straordinaria quantità di mutande, busti e reggiseni.

Per la primogenita Romualdo non aveva badato a spese, il suo corredo doveva essere ricordato come il più sfarzoso a memoria di parenti e amici.

«Dite a questa Di Bartolo che il corredo di mia figlia deve arrivare direttamente da Parigi», disse il marchese il primo giorno che la signorina era arrivata a Palazzo con le sue aiutanti.

«Ma Romualdo, a Palermo ci sono stoffe magnifiche e avremo anche più tempo...» Ottavia aveva cercato di convincerlo ma lui fu irremovibile.

«Si sposa Amalia Chiaramonte, mia figlia, non la figlia di mastru Nanè u mpriacuni! O il corredo arriva da Parigi o non si sposerà.»

E questa frase l'aveva ripetuta più volte. Una volta quando decise che la torta dovesse arrivare da Catania, un'altra quando stabilì che il sarto Mezzasalma non era in grado di fargli il vestito e pretese che ne arrivasse uno da Siracusa e un'altra ancora quando impose una dieta rigida a tutti in vista del matrimonio. «Si sposa Amalia Chiaramonte, mia figlia, non la figlia di mastru Nanè u mpriacuni! O vi mettete tutti a dieta o non si sposerà», e così dicendo sbatteva porte su porte, rintanandosi lontano da tutti.

Poi d'un tratto, a pochi giorni dal matrimonio, Romualdo aveva dimenticato tutte le sue imposizioni sulle torte, i vestiti, i corredi e le diete. Appariva chiuso in uno sconsolato silenzio. Rifuggiva la confusione, la gente, quel vociare allegro e gli eterni discorsi intorno al matrimonio. Ogni tanto aveva incontrato il cugino Mario e, con reciproco rispetto, nessuno dei due aveva discusso di argomenti economici, di doti o di lasciti vari; questi discorsi erano stati diffusamente affrontati quando ancora Amalia non era al corrente del suo destino.

Durante i pranzi restava imbambolato a fissare il vino o l'acqua, mangiava poco e dormiva ancor meno e quando poteva, con una scusa banale, bussava alla porta di Amalia e rubava attimi, come un ladro, come un padre.

«Ma che c'è?» aveva chiesto una sera Ottavia prima di mettersi a letto, mentre si scioglieva il tuppo lasciandosi cadere sulle spalle i lunghissimi capelli d'argento.

«Niente», aveva risposto Romualdo infilandosi sotto le coperte.

«Ti fecero arrabbiare? Qualche preoccupazione per le ragazze?» incalzò Ottavia sdraiandosi al suo fianco.

«No», rispose lui laconico alzando il mento in aria.

«Ma allura parra. Dilla na parola», sbottò Ottavia. «È una settimana che stai muto ca pari m'pisci ro mari...»

«Addummisciti Ottavia», rispose Romualdo voltandosi di spalle. «E stuta u lumi.»

Il 29 luglio, giorno del matrimonio, arrivò come una

secchiata d'acqua fredda in pieno viso. Nessuno si sentiva pronto, nessuno abbastanza preparato. Già dalle sei del mattino la casa era in piena attività. Le porte erano spalancate e la gente entrava e usciva senza bussare o chiedere permesso. I fiori continuavano ad arrivare invadendo non soltanto i salotti ma anche i terrazzi, le camere da letto e persino i ripostigli.

Giuditta si svegliò di ottimo umore. Aveva voglia di fare una buona colazione e godersi lo spettacolo, assistere alla preparazione di Amalia, all'acconciatura dei suoi capelli con fiori di seta e alla cura delle sue mani, pronte a ricevere la fede. Ma voleva anche spiare Fortunato, guardarlo dentro quella livrea azzurra, con i suoi capelli sempre disordinati bloccati in un codino legato da un nastro di raso. Lo avrebbe deriso, forse. O lo avrebbe semplicemente aiutato. Chissà.

Di fatto si alzò, percorse scalza il lungo corridoio fino alla cucina ed entrò. L'intera casa era invasa da una luce accecante e da un inebriante profumo di rose.

«Giuditta!» gridò Concetta. «Che ci fai in cucina, scalza e in camicia da notte?»

«Voglio il latte», rispose Giuditta stropicciandosi gli occhi ancora carichi di sonno.

«E vatinni na cammira i manciari», la incitò la cameriera.

«No, voglio stare qui. Tanto oggi non se ne accorge nessuno e io voglio vedere cosa fate...»

Concetta si voltò senza dire una parola, prese una tazza, versò il latte già caldo e gliela avvicinò al tavolo dove Giuditta stava appollaiata.

«Vuoi firrincozza?» domandò Concetta.

«Sì, uno solo», e prima ancora di iniziare a mangiare chiese: «Ma Fortunato è salito?»

«Ma quale! povero picciriddu. A so matri ci sta partiennu a testa con questa storia delle fedi. Pari nisciuta pazza. A tutti ci cunta che suo figlio porterà le fedi alla figlia del marchese, ca è vistuto che pari un principe e che il sarto Mezzasalma ci disse che è fino che pare figlio di un re.»

«E allora?» disse Giuditta mentre affogava il firrincuozzo dentro al latte.

«E allora? Ma ti pari giustu ca Fortunato da una settimana si prova e sprova il vestito ca pari un pupo di pezza?»

Giuditta sorrise facendo sgorgare una goccia di latte dalla bocca e sussurrò: «Ben gli sta!»

In pochi minuti la cucina si era riempita di gente. Don Nicola era arrivato al seguito di due aiutanti sconosciuti e si stava prodigando in spiegazioni varie.

«Ca ci su i furnacelli, ca i pignati e ca i cuppina.»

Concetta e Maruzza ruotavano intorno a ogni cosa, scontrandosi a vicenda sia verbalmente che fisicamente. Nel frattempo tre novizie del convento delle Benedettine erano arrivate con sei ceste di dolci da riposto. Quando, soddisfatte di quel lavoro certosino, scoprirono il contenuto facendo scivolare le tovaglie di lino, si levò un comune «Ohhh».

Come un immenso prato primaverile, carico di colori tenui e riposanti, stavano quelle piccole e leggiadre creazioni di pasta di mandorla. Dal rosa sbiadito al giallo pastello, dall'azzurro polvere al verde iridescente, ognuno era identico nella forma all'altro ma infinitamente diverso nella sfumatura di colore.

Le tre novizie arrossirono dinanzi ai complimenti sperticati di Maruzza e Concetta e si ritirarono, con una vena di soddisfazione celata dall'imbarazzo e, chissà, forse dal timore ingiustificato di aver peccato di vanità.

«Don Nicola, dov'è Fortunato?» domandò Giuditta di colpo, rompendo quell'incantesimo di colori.

«Sa sfutti iddu», tuonò il monsù visibilmente seccato.

«Ma secondo voi posso andare da lui?»

«Se vedete uno tutto nastri e merletti, salutatemelo e ditegli che finito questo teatro, con tutto il rispetto per vostra sorella, si torna a travagghiare!»

«Glielo dirò don Nicola! Ma non temete, me lo ha già promesso...»

E prima che il monsù potesse chiedere cosa le avesse promesso, Giuditta scappò via.

Ripercorse il corridoio, entrò in camera, vestì gli abiti elegantissimi che Giannina le aveva sistemato sulla poltrona e uscì.

E mentre correva per raggiungere Fortunato sentì Giannina che gridava: «Giuditta, Giuditta, unni vai? Torna qua! Non mi fari nesciri u cori...»

«Sto tornando», gridò Giuditta facendo una piroetta su se stessa senza smettere di correre.

Attraversò i cinque salotti in fila, il salottino e il fumoir e passò davanti allo studio di suo padre. La porta era aperta e lei lo vide di spalle, solo e immobile. Rallentò la corsa e tornò indietro. Si avvicinò pianissimo alla porta per non essere udita e restò a guardarlo. Era già pronto, ingessato nel suo tight grigio, con una gardenia all'occhiello e un panciotto dello stesso colore dei suoi occhi. Lo osservò assorto in una matassa inestricabile di pensieri, come se un peso gravoso e invisibile curvasse le sue spalle. Ciò nonostante lo trovò bello. Non lo aveva mai pensato bello e spesso non lo aveva immaginato neanche buono, come se fosse semplicemente padre senza essere mai stato uomo. Gli sembrò anche piuttosto giovane per condurre una figlia all'altare e, per un istante, credette che il suo pensiero stesse toccando quello di suo padre. Decise che il silenzio di quel momento fosse necessario e non lo salutò, si allontanò di soppiatto per riprendere poco dopo la sua corsa.

Arrivò all'ingresso, schivò le ceste di rose e scese le scale saltando due gradini per volta. Attraversò il cortile che brulicava di carretti, gente e bauli e finalmente giunse nei dammusi che facevano da casa a Fortunato.

«È permesso?» domandò bussando alla porta semichiusa.

«Trasiti signorina Giuditta, trasiti.» Donna Marianna era emozionata come se a sposarsi dovesse essere suo figlio. «Fortunato si sta canciannu. Se aspettate u viriti beddu comu u suli.»

Dopo qualche istante, dalla tenda che faceva da séparé tra la cucina e la camera da letto si palesò Fortunato. Era vestito d'azzurro, con le calze color panna fino al polpaccio e una camicia bianca con una vistosa *ruche*. La livrea scendeva fino alla coscia slanciandone la figura. I riccioli disordinati erano stati domati con un nastro, anch'esso azzurro, che metteva in risalto i suoi occhi, della stessa identica sfumatura del vestito.

Stava a metà tra il Carnevale e una comparsa teatrale e Giuditta non poté fare a meno di scoppiare a ridere.

«Lo sapevo», sbottò Fortunato sciogliendosi il nastro tra i capelli.

«Ridevo solo per le scarpe con il tacco, per il resto stai benissimo», rispose Giuditta mordendosi la lingua.

«Mi prenderanno in giro?» chiese Fortunato abbassando lo sguardo e la voce per non essere udito dalla madre.

Allora Giuditta si avvicinò a lui, gli si piazzò a pochi centimetri dal viso e disse: «Nessuno può prenderti in giro Fofò, altrimenti dovrà vedersela con me».

Quella giornata volò come un sogno fatto all'alba, come un amore fugace, come un tramonto sul mare. Restò la bellezza tra i ricordi di tutti e qualche particolare, una istantanea raccolta e custodita nella memoria. Nessuno, come in tutti i grandi eventi della vita che si accompagnano a emozioni vere, sarebbe stato in grado di ricordarne i dettagli. La felicità spesso gioca il fatale scherzo di sfumare, si affievolisce come la luce di una candela consunta, si attenua come un affresco violato dal tempo.

Eppure Giuditta rubò due immagini a quella giornata, due momenti che accompagnarono la sua vita sovrapponendosi alla quotidiana esistenza come rari attimi di bellezza vissuta: le lacrime di suo padre nascoste dietro la banalità del sudore e il sorriso ingenuo e beato di chi sa leggere la beffa come ammirazione, lo scherno come compiacimento, la falsità come verità.

Capitolo 9

Poggiogrosso, 19 agosto 1897

La vita, dopo il matrimonio di Amalia, rimase la stessa. Nessun cambiamento repentino, nessuna drastica alterazione sovvertì l'ordine consueto e meticoloso che aleggiava sulla famiglia Chiaramonte. Ciò che aveva rappresentato la più grande paura per Giuditta, ovvero la lontananza da sua sorella, sembrò d'un tratto un problema superato. Nessuno aveva voluto soffermarsi sul fatto che il distacco, prima o poi, sarebbe arrivato.

L'estate, a tal proposito, arrivò salvifica. La villeggiatura a Poggiogrosso fu la stessa di sempre con la sola novità legata alla stanza del cugino Mario che da singola divenne matrimoniale.

Sul piccolo tavolo di legno della camera da letto la marchesa si procurò di far trovare alla giovane coppia un mazzo di fresie e una bella limonata fredda e tanto bastò a dare il benvenuto ai novelli sposi.

La più felice fu Rosalia che si spostò nella stanza di Amalia, mentre Ada e Giuditta restarono nella loro solita camera con il vantaggio di uno spazio maggiore.

Per molti giorni non si parlò d'altro che del matrimonio. I toni passarono in fretta dall'entusiasmo alla oggettività per poi raggiungere la cronaca e infine sfumare con la lentezza snervante di qualcosa che muore. Le giornate furono avvolte dal caldo asfissiante di agosto, blindate dall'afa e sormontate da un cielo stellato e nero.

Ogni tanto Giuditta restava seduta sul bastione del grande terrazzo a deviare il corso di alcune formiche che sbucavano fuori dalla pietra viva e sporgendosi sorprendeva Amalia e Mario a guardarsi, mentre sulla campagna brulla e assetata scendeva l'arancio del tramonto.

Li spiava forse, senza l'avidità di chi bramosamente scruta bensì con l'intento di rubare emozioni dai loro sguardi. Mario restava sempre un passo indietro, mani dietro la schiena che si torturavano tra loro, occhi bassi e sorriso appena accennato. Amalia parlava. Parlava continuamente e mentre parlava si distraeva e spesso inciampava allora Mario si precipitava, scioglieva le mani da quel groviglio confuso di dita e l'aiutava. Ed era lì, in quel preciso momento, che Giuditta intravedeva una luce, una dolcezza nascosta, una felicità lontana. Sarà questo l'amore?

Le giornate a Poggiogrosso trascorrevano lente. Dopo aver cambiato il percorso a migliaia di formiche e aver messo il cappio ad altrettante lucertole, l'unico passatempo per Giuditta era rintanarsi in cucina, guardare don Nicola, rubargli i trucchi del mestiere e, naturalmente, distrarre Fortunato da ogni suo proposito di lettura, studio o lavoro.

«Che preparate oggi don Nicola?» disse Giuditta entrando gaudente nella cucina attigua alla grande sala da pranzo.

«Pasta tinnirumi e ricotta», rispose il monsù mentre

sbatteva ventiquattro uova dentro un grosso lemmo di ceramica.

«E le uova a cosa vi servono?» chiese Giuditta.

«Pi fari u pisciruovo», rispose distrattamente mentre una parte di sé era concentrata affinché le uova raggiungessero la giusta spumosità. Poi aggiunse: «Se vi vuliti assittari, signorina Giuditta, oggi c'è una bella novità...»

Giuditta prese un pezzo di pane parigino dalla boccia di vetro e si sedette sul tavolo di legno.

Dopo pochi istanti sbucò fuori dal ripostiglio Fortunato con un bel pezzo di caciocavallo stagionato.

«Buongiorno Fofò», fece Giuditta impastando le parole al dolce che aveva in bocca.

Fortunato alzò il mento per ricambiare il saluto e si rivolse a suo padre: «Bisogna tagliarlo. Quello che avevamo portato da Ragusa si è finito tutto».

«Il coltello grande è là», disse don Nicola indicando un cassetto nello stipo. «E u cippu è sutta a piattera», continuò.

Giuditta li seguiva con la sguardo cercando di scovare la novità che il monsù aveva anticipato. Osservò Fortunato muoversi con dimestichezza in quella cucina forse perché più piccola di quella in città, e poi notò don Nicola insolitamente seduto sul suo sgabello impagliato, con le gambe larghe coperte dal lungo grembiule bianco.

«E allora? Di che novità si tratta?» incalzò Giuditta.

«Attocca a Fortunato parlare questa volta», esordì il monsù con tanto di soddisfazione nella voce.

E visto che il ragazzo rimase in un ostinato silenzio don Nicola dovette insistere: «Forza figghiu, parra...»

«Ecco…» cominciò Fortunato imbarazzato, «il fatto è che mio padre ormai è stanco e quando ha chiesto al marchese di concedergli un aiuto in cucina, lui ha risposto "Prendetevi Fortunato".»

«Ma tu non sei contento?» chiese Giuditta mentre ingoiava in fretta quel che rimaneva del pane parigino.

«Certu ca è cuntento!» rispose don Nicola. «Siemu tutti cuntenti assai. Solo ca u picciutto ancora si deve inquadrare bene, sa nzignari u mestieri.»

«Ma Fortunato lo conosce già questo mestiere», osservò Giuditta euforica, «si è scritto tutte le ricette e tutte le dosi esatte e anche i singoli movimenti che voi avete fatto durante le preparazioni dei piatti. Vero Fofò?»

Fortunato abbassò la testa un paio di volte in segno di assenso ma non parlò.

Giuditta provò a cercarlo con gli occhi ma nulla è più complicato che incontrare uno sguardo che non vuole essere guardato.

Allora decise di soddisfare l'ego paterno del monsù e di soprassedere alle malinconie di Fortunato; per quelle ci sarebbe stato tempo e luogo.

«È bellissimo!» esclamò Giuditta battendo le mani come se fosse finito uno spettacolo teatrale. «Fofò è la persona giusta, conosce tutti i vostri piccoli segreti e sa perfettamente cosa piace a mio padre e a tutta la nostra famiglia. Non potevate fare scelta migliore», e mentre lo diceva sfiorò la spalla del monsù che trasalì e divenne rosso come un tizzone ardente.

«Saranno tutti felici di questa notizia e non vedranno l'ora di assaggiare i piatti preparati da Fofò», continuò

Giuditta in un fiume, quasi esasperato, di dilagante entusiasmo.

«Grazie signorina», balbettò don Nicola, «voi ci vuliti bene a Fortunato. Ma questo è un travaggiu di fatica e sudore. Ci vuole pazienza assai e tanta buona volontà. Sa stari infilati ca rintra da matina a sira e non ci su sabati o duminichi. Però quannu t'arrinesci na cosa... ah chi piaciri!»

Don Nicola stava sognando a occhi aperti, vedeva il suo Fortunato, figlio regalato da un destino che fino ad allora era stato avaro, come il miglior monsù di tutti i tempi. Lo immaginava algido ed elegante tra i fornelli accesi a impartire ordini con la grazia che in quel ragazzo sembrava innata. Per un attimo si estraniò da quella cucina e da quella conversazione e prese a danzare con i pensieri, chiudendo gli occhi e viaggiando con la mente. Lo faceva spesso in verità, soprattutto quando i piatti erano rodati e di facile esecuzione. Le sue mani si muovevano abili sul tagliere e, mentre lo faceva, viaggiava con la mente, ma soprattutto sognava.

Giuditta lo guardò con una tenerezza che non aveva mai provato per suo padre e non ebbe animo di distoglierlo dalla vertigine del sogno. Scese piano dal tavolo, fece solo un cenno di saluto e si avvicinò a Fortunato che teneva con ostinata caparbietà gli occhi bassi.

«Ti aspetto sul muretto del pollaio», sussurrò all'orecchio del ragazzo sfilandogli dalle mani un pezzo di cacio duro.

Il vestito di mussola di lino azzurro ondeggiava come polline sotto il soffio di zefiro. Il sole caldo delle undici del mattino rendeva l'aria asciutta; sembrava si potesse toccare nella sua consistenza solida, afferrare e conservare dentro un pugno di ricordi.

Fortunato arrivò da dietro con il suo passo lento, con l'andatura stanca di vecchio intrappolata dentro un giovane corpo. Giuditta non si voltò. Conosceva quei passi, l'esile rumore delle scarpe sulla terra, il respiro inudibile del suo naso. Lui si arrampicò sul muretto e le si sedette accanto, aprì un piccolo involucro di stoffa e cominciò a gettare bucce di patate e altri scarti alle galline.

«Hai paura di lavorare, Fofò?» chiese Giuditta lasciando fisso lo sguardo su quegli animali buffi accalcati sopra il cibo.

«No», rispose lui sicuro di sé. «Ho sempre lavorato, non cambia nulla.»

«Infatti, lo so. Per questo non capisco questa tristezza. Cucinare ti è sempre piaciuto…» osservò Giuditta che nel frattempo gli aveva rubato quel che rimaneva degli scarti lanciandoli alla rinfusa per ridistribuire l'ordine dentro il pollaio.

«Mi scanto, Giuditta.»

«E di cosa? Ci sono piatti che già oggi fai meglio di tuo padre, io lo so…» rispose lei spingendolo un po' con la spalla.

«Ma io mi scanto per mio padre, lo vedo stanco, vecchio… e poi…»

«E poi?» lo esortò Giuditta.

«E poi volevo studiare», disse Fortunato d'un fiato, come se quella frase fosse rimasta imprigionata dentro l'esofago, stretta in un nodo doloroso e confuso. «So leggere e scrivere e ho imparato da solo, volevo soltanto imparare di più, scoprire più cose.»

Giuditta abbassò lo sguardo e notò le mani del suo più caro amico chiudersi in pugni nervosi. Restarono in silenzio, l'uno accanto all'altra, per un tempo indefinito, lo stesso tempo che si ruba la felicità, imprecisato e violento.

Poi saltò giù dal muretto, lo fissò e fu uno sguardo così intenso che l'azzurro di Fortunato sembrò fondersi nel nero degli occhi di Giuditta e, dopo un paio di giravolte goffe e scoordinate, gridò: «Sono un genio! Sono un genio! Sono un genio!»

E continuò a ripeterlo senza sosta. Correva su e giù per la campagna assolata e saltellava ripetendo «Sono un genio!» e tanto bastò per infondere una scompigliata allegria dentro l'animo acerbo di Fortunato.

Quando si fermò, esausta e soddisfatta, incrociò il sorriso sereno di Fofò e le fu sufficiente per dirsi vincitrice.

«Facciamo così: io ti porto i compiti del canonico LoPresti in cucina e tu mi lasci cucinare. Entrambi faremo ciò che amiamo e nessuno sospetterà di nulla. Ti va?»

Fortunato restò interdetto, aggrottò le sopracciglia, si grattò le testa, giocò con i capelli attorcigliandosi i riccioli sull'indice e finalmente disse: «Sei sicura?»

«Mai più di così… però se qualcuno dovesse sospettare qualcosa negheremo fino alla fine.»

Giuditta tese la mano come un uomo d'onore. Fortunato gliela prese e la appoggiò sul cuore.

«Maria Santissima.»

Capitolo 10

«*Settembre, preludio della notte / Rossore del meriggio / Livore della sera...*»

Il canonico LoPresti stava appoggiato allo stipite del balcone mentre un venticello impertinente soffiava sulla tonaca nera facendola svolazzare, con sinuosa morbidezza, intorno a quel corpo goffo. Guardava la soleggiata e immensa distesa di carrubi, muretti a secco e qualche ulivo sbiadito e il suo sguardo, sempre pacifico, sembrò di colpo incupirsi come se un pensiero di una felicità lontana lo avesse sfiorato, se un ricordo avesse fatto capolino tra le chiome della vita per poi svanire.

Fu Giuditta, con quella sfrontata impudenza che non aveva limiti di età né tantomeno di ruoli, a saziare la curiosità rivolgendo una domanda: «Non vi piace settembre? Sembrate triste al solo nominarlo».

Il canonico si destò, come da un sonno leggero, si voltò verso la ragazzina lasciandosi alle spalle il giallo bruciato della campagna di fine estate e sorrise: «È il mare che mi manca, signorina».

Giuditta ricambiò d'istinto il sorriso e, per la prima

volta, dopo infinite ore di lezioni e traboccanti sbadigli, si sentì vicina a quell'uomo bizzarro, stralunato e meticoloso, metà libro e metà sacerdote. Poggiò i gomiti sul tavolo e fece scivolare il viso tra le mani, come di chi è pronto ad ascoltare.

Anche Ada e Rosalia si incuriosirono al suono confortante di quella che sembrava una insolita confessione e, come Giuditta, assunsero una posizione più incline alla conversazione e meno allo studio.

«Alla vostra età, anno più anno meno», disse rivolgendosi a Giuditta in quanto più piccola, «durante tutto il mese di luglio e di agosto venivo mandato a Sampieri, a casa dei miei nonni materni.»

«I vostri nonni vivevano al mare?» domandò Ada con quel tono soave prossimo alla preghiera.

«Mio nonno era pescatore e mia madre fu la prima di sette figli; a lei toccò il matrimonio più importante perché vantava una gran dote per quel villaggio di pescatori.»

«E chi sposò?» domandò Rosalia destando l'ilarità delle sue sorelle.

«Il padre del canonico», rispose Giuditta pungente e ironica.

«Mio padre era il terzo di quattro figli», riprese il canonico, ignorando lo scherno di Giuditta, «e suo padre, mio nonno, era massaro delle proprietà del ciantro Lucifora, quelle giù alla fiumara. Però nel giro di pochi anni la buonanima di mio padre restò solo perché i suoi fratelli morirono di pertosse e mio nonno si lasciò morire per il dolore.»

«Che storia triste…» sospirò Ada.

«Fu allora che arrivò l'anima santa di mia madre», continuò il canonico portandosi una mano sul cuore e alzando gli occhi al cielo. «E con lei arrivarono anche otto figli. Io sono il più piccolo, come voi signorina Giuditta.»

Giuditta arrossì. Come se d'un tratto tra lei e il canonico corresse un filo trasparente, un legame impercettibile. Abbassò lo sguardo e lui proseguì.

«Degli otto figli io ero l'unico che voleva studiare e mia madre, santa donna, per evitare che mio padre mi picchiasse durante i mesi estivi, quando bisognava faticare di più sotto il sole, mi spediva a Sampieri dai nonni.»

«Quindi voi sapete nuotare?» chiese Rosalia nel suo eterno tentativo di banalizzare ogni cosa.

«Galleggio, signorina. Per dirsi nuotatori bisogna saper ballare con il mare e io non sono mai stato un provetto ballerino...»

Questa volta ad arrossire fu Rosalia. Mai e poi mai avrebbe immaginato il canonico in costume da bagno e ancora meno lo avrebbe potuto pensare ballerino.

«E cosa facevate due lunghi mesi a Sampieri?» riprese Ada riportando la conversazione a meno frivole digressioni.

«Leggevo, signorina Ada. Leggevo ogni cosa. Mio nonno era un uomo semplice, un vecchio pescatore mangiato dal sale e bruciato dal sole, ma capì subito che i libri erano la mia unica passione e non mi ostacolò. Chiese al barone Busacca di farmi accedere alla biblioteca di casa sua e questi acconsentì. Il barone aveva una maestosa casa di pietra bianca con le persiane blu e la biblioteca era proprio in una stanza dirimpetto al mare. Era un uomo solitario a cui mio nonno portava il pesce fresco ogni mattina. Non aveva avuto figli e aveva nascosto i suoi pochi e scontrosi sorrisi tra le pagine dei libri. Accettò con entusiasmo e con una certa curiosità l'idea che un ragazzino senza istruzione potesse sentire ardere il sacro fuoco della cultura e mi consegnò personalmente le chiavi della sua biblioteca. Fu da quel momento che si aprì un mondo fatto di pagine rilegate, un mondo a colori inciso solo in bianco e nero. Non avevo limiti a quella avidità di sapere. Ogni giorno correvo dal barone, prendevo un libro nuovo riconsegnando quello del giorno precedente e andavo a leggere in riva al mare o dentro qualche barchetta ancorata al porticciolo. E leggendo, giorno dopo giorno, mi sono imbattuto in sant'Agostino, in san Tommaso e poi nelle sacre scritture e così via… Furono i libri a portarmi a Dio, pensai per molti anni. Ma sconoscevo che in verità era stato Dio a portarmi a loro.»

Ada lo guardò incantata. Si domandò, nel segreto del suo cuore, cosa avesse portato lei a Dio e chiuse gli occhi. Lasciò che il vento le accarezzasse il viso scarno e pallido e si sentì sollevata dai dubbi eterni che dilaniano il cuore. Trovò il cielo di un azzurro accecante, come mai lo aveva visto, e provò una insperata sensazione di leggerezza, come se su quella sedia ci fosse il suo corpo, ma fluttuante, come un fiore d'acqua, la sua anima sorvolasse tutt'attorno.

«E poi?» domandò d'un tratto Giuditta come un bambino famelico di storie.

«E poi mio nonno morì, come muoiono tutti i nonni e tutte le persone che amiamo, causando un grande vuoto e una profonda malinconia. E io non andai più al mare. Mai più. Dopo pochi anni entrai in seminario affidando la mia vita a una strada segnata.»

Il canonico si era fatto sbrigativo nell'ultima parte del racconto, come a voler eludere o forse chiudere il discorso.

Giuditta si toccò le tempie, poi si torturò i capelli neri e alzò il dito, come se stesse chiedendo il permesso di sapere, di scoprire.

«Prego, signorina...» fece il canonico incuriosito.

«Mi domandavo perché, in tutti questi anni che siete stato precettore in questa casa, non vi siete mai unito a noi durante le gite al mare...»

Il canonico si guardò intorno cercando un appiglio, forse una risposta, poi cominciò a declamare, voltandosi di spalle, per evitare che gli occhi tradissero più delle parole.

«Nessun maggior dolore che ricordarsi del tempo felice ne la miseria...»

Le tre ragazze restarono interdette. La fluttuante anima di Ada ripiombò sul corpo impietrito, Rosalia rimase spiazzata con una espressione di dubbio in viso e Giuditta provò un lacerante senso di compassione. Sentì fremere le gambe, prudere le mani e il corpo. Avrebbe solo voluto avere Fortunato accanto a lei per raccontare che forse il canonico era stato innamorato. Ci avrebbero riso su, o magari Fofò le avrebbe detto, con il suo fare remissivo, che la felicità può essere tutto, può essere niente.

Cominciò a fantasticare, a guardare lontano, a immaginare luoghi, spiagge, barche ancorate in insenature solitarie e libri abbandonati al sole. Poi si destò.

«Canto quinto della *Divina Commedia*, signorine», disse il canonico ritrovando il piglio cattedratico.

«Certo», rispose pronta Rosalia temendo una interrogazione improvvisa.

«Ci sono luoghi, persone e momenti che ci hanno reso felici, così felici che, ricordarsene, può risultare perfino doloroso.»

Fu una mannaia sopra ogni altra domanda. Il silenzio si fece sostanza, cadde il buio dentro quella mattina di settembre e nessuno parlò d'altro. Anzi, nessuno parlò più.

La sera a cena venne presentato, tra l'incredulo stupore dei commensali, un timballo che aveva l'opulenta avvenenza di un pavone. Ogni singolo ingrediente era legato sapientemente all'altro pur risultando ben definito. Il rosso del sugo, vivo come sangue appena sgorgato, risaltava sul contorno di piselli verdissimi, sonnacchiosi sul fondo del piatto. Al centro del timballo troneggiava la carne di maiale, mista alla salsiccia. Erano pezzetti piccoli, di una misura femminea ed elegante. Lo portò Fortunato, avvolto in un grembiule bianco, lindo come i suoi occhi di cristallo. E nel portarlo sembrava inciampare, goffo nell'imbarazzo di quella prima volta, di quella pubblica esposizione alla sua fatica, di quel cambio improvviso di rotta, di vita, di speranza.

«Facciamo un applauso a Fortunato che debutta stasera», disse il marchese per primo, a cui seguì un fragoroso battimani.

Fortunato si avvicinò a lui, gli mostrò il sontuoso piatto e il marchese calò testa un paio di volte, con un'espressione soddisfatta e affamata.

Fortunato cedette il timballo a Giannina, che cominciò a fare il consueto giro affinché ognuno potesse liberamente servirsene, e si andò a nascondere dietro la porta della sala da pranzo, in attesa di sentire gli umori, i commenti, le disapprovazioni.

Ci fu invece un rumoreggiare di stoviglie confuso. Fortunato riuscì a distinguere il vino dall'acqua quando veniva versato e persino il fruscio dei tovaglioli sulle gambe divenne percettibile alle sue orecchie ma per moltissimo tempo nessuno parlò.

E prima che gli occhi di quel ragazzino diventato improvvisamente uomo si riempissero di lacrime, per poi sgorgare copiose e liberatorie, si sentì chiamare.

«Fortunato? Veni ca...» disse in tono serio il marchese.

Il ragazzo entrò a testa bassa. Il battito accelerato del suo cuore era visibile a occhio nudo. Si sentì osservato e arrossì. Alzò lo sguardo per un attimo, rivolto a Giuditta, e incrociò la complicità dei suoi occhi. Si portò al fianco sinistro del marchese e attese, con le mani dietro la schiena.

«Tutto tu facisti?» volle sapere Romualdo.

«Oscenza sì.»

«Pure la pasta?» rintuzzò il marchese.

«Pure quella, Oscenza.»

«Allora non c'è bisogno di cercare pieri pieri. Abbiamo trovato il nuovo monsù!» esclamò Romualdo alzando il calice di vino.

«Oscenza?» domandò con un filo di voce Fortunato.

«Chi fu, non sei contento?»

«Oscenza sì. Ma mio padre sta benissimo, è lui il monsù. Io lo aiuto e basta...»

Romualdo prese il tovagliolo sulle gambe e lo strinse tra le mani mettendo in mostra vene grosse e pulsanti.

Bevve tutto il vino che aveva nel calice e disse: «Giusto, Fortunato. Il monsù è tuo padre. Adesso puoi andare...»

Durante la cena si parlò a lungo del talento di quel ragazzo. Don Ciccio e sua moglie si spertricarono in mirabolanti complimenti e lo stesso fece il canonico con la sua solita flemma. Gli unici a mantenere un ostinato silenzio furono Ada e Romualdo, chiusi, ognuno a suo modo, in un mondo fatto di pensieri, grovigli dell'anima e rimpianti.

«Avrei qualcosa da dirvi», disse all'improvviso Ada, dopo aver torturato il timballo nel piatto rimasto intonso.

Si zittirono tutti, fra la sorpresa e lo sconcerto. Alcuni, tra zii e cugini, si erano chiesti più volte se Ada parlasse, se riuscisse a vivere il mondo, a capirlo e soprattutto ad apprezzarlo.

Romualdo provò l'istinto di scappare, ma il suo ruolo gli impose la compostezza della immobilità.

Poggiò le posate, incrociò le braccia sopra la camicia bianca e chiuse gli occhi.

«Ho domandato a lungo a me stessa cosa volessi fare di questa vita, e stamane, mentre il canonico ci portava a dentro nelle segrete cose della sua fanciullezza, io ho capito...»

Romualdo sgranò gli occhi e fulminò il canonico che nel frattempo si era impietrito.

«Voglio prendere i voti, e vorrei che mi deste la vostra benedizione.»

Romualdo scolorò in viso. Sentì la bocca improvvisamente secca e un'ansia vertiginosa salirgli dalle caviglie fino al petto. Ottavia invece cominciò a piangere e nessuno poté decifrare se fossero lacrime di gioia, di emozione o di dolore. Il resto degli astanti restò sbigottito. Il canonico si rilassò di colpo, respirò e accettò il suo destino con cristiana rassegnazione. Era una sera di settembre, una banalissima sera di settembre. Eppure nella banalità talvolta si cela l'imponderabile.

Il marchese si alzò senza proferire parola, Ottavia lo raggiunse correndo.

«Romualdo, fermati Romualdo... nun fari accussì.»

Lui si bloccò e voltandosi di scatto le puntò il dito in faccia: «Ittàti fora stu parrinu da questa casa perché, quanto è vero che esiste Dio, u scannu che me manu. Maria Santissima!»

Capitolo 11

Ibla, novembre 1897

Ada entrò nel convento delle Benedettine, come novizia, una mattina di novembre. Pioveva sugli alberi piegati, sulle stradine inerpicate che sembravano imbuti pieni d'acqua. Pioveva sulle foglie ormai riverse a terra, sulle rose appassite dei giardini spogli, sulle arance timide come tramonti invernali. Pioveva sui volti di quel corteo pensoso che accompagnava i passi certi di una futura sposa di Cristo. Pioveva sul presente di Rosalia, sui giochi di Giuditta, sulle velleità di Ottavia e sulla accondiscendenza di Amalia. Pioveva su Palazzo Chiaramonte, dentro una casa che si era fatta buia, nell'ossequio di una servitù obbediente, sulle bambole dagli occhi vitrei, abbandonate sui ricordi bambini. Pioveva nel cuore di un esule canonico, scacciato perché complice di un amore inaccettabile. E diluviava nel cuore affranto di Romualdo.

Fradici, varcarono tutti il grande portone di legno. Una novizia paffuta e sorridente li accolse, conducendoli nel parlatorio. Infinite grate salivano inespugnabili fino al soffitto. Romualdo fece correre lo sguardo a destra e poi a sinistra, non vide vie di fuga ed ebbe l'istinto di stringere il braccio di Ada e portarsela via. Lei si girò e non fece altro che sorridere. E non era un sorriso di circostanza, un accomodante e compassionevole gesto d'affetto per il padre. Era felicità. Inaccettabile e incondizionata felicità.

Romualdo allentò la presa e si scostò di un passo. L'aveva persa.

Ci fu silenzio o forse semplice imbarazzo. Poi un rumoreggiare di chiavi spostò lo sguardo di tutti oltre le grate e come in un sortilegio apparve, ieratica, la Madre Superiora.

«Sia lodato Gesù Cristo», disse.

«Oggi e sempre sia lodato», risposero tutti in coro eccetto Romualdo, ancorato tenacemente al suo mutismo.

«Quest'oggi il nostro convento festeggia l'incontro tra vostra figlia e Cristo», disse la reverenda madre rivolgendosi a Ottavia e Romualdo. «La scelta della monacazione, che passa attraverso il noviziato, è una scelta d'amore e giunge fino alla compunzione delle lacrime. Inizierà un'altra vita per Ada e tutti noi avremo la gioia nell'animo.»

Il marchese lanciò uno sguardo severo oltre le grate, sembrando sul punto di piangere. Poi abbassò lo sguardo e serrò la mascella.

Ada inspirò, a occhi chiusi, tutta l'aria di quella stanza e poi espirò lentamente.

«Sono pronta», rispose risoluta cogliendo tutti di sorpresa. «Ho sempre saputo che questa sarebbe stata la mia strada.»

Fu allora che la Madre Superiora tirò fuori una chiave,

tanto grande quanto arrugginita, e aprì una serratura invisibile a coloro che sedevano nel parlatorio.

Le grate si aprirono, facendo cigolare i cardini, ed emisero un rumore tremendo.

Ada arricciò le labbra in un sorriso compiaciuto, raccolse la sua piccola borsa da terra e iniziò un fugace giro di saluti. Abbracciò Rosalia che piangeva copiosamente, poi Amalia che la incoraggiò con la sua placida serenità. Diede un bacio a Giuditta, accompagnato da un buffetto sul viso, salutò Mario che stava impalato e muto ai margini di tutti e poi si diresse verso sua madre. Ottavia era sfinita, con un viso simile a quello della Addolorata durante la processione del Venerdì santo.

«Non fate così, Mamà», provò a dire Ada, ma lei scoppiò in un pianto inconsolabile, a tratti bambinesco e capriccioso.

Biascicò parole incomprensibili, singhiozzando lacrime, aria, ricordi e passato. Poi sussurrò, prima che un immaginifico sipario crollasse sulla sua stanchezza di madre: «Sii felice, figlia mia».

Ada si inginocchiò, le baciò le mani curate e bianchissime e rispose: «Grazie, Mamà».

Restava solo Romualdo. Lo scoglio più arduo, il muro più alto, la fatica più dolorosa.

Lo vide in disparte. Sobrio come sempre, elegante e fiero. Il pastrano sulle spalle larghe, i guanti dentro la mano sinistra, gli occhi color del mare sfuggenti.

«Padre...» sussurrò Ada avvicinandoglisi.

«Dimmi Ada», rispose il marchese fingendo disinteresse.

«Volevo salutarvi...»

Romualdo rimase immobile. Nessuna parte del suo corpo si mosse. Finanche il cuore sembrò fermarsi, il respiro spegnersi, la pelle scolorire.

Poi la attaccò. Come un animale che finge di essere morto per aggredire meglio.

Le bloccò con entrambe le mani le braccia, i guanti scivolarono per terra e a Ada cadde la borsa.

Gli occhi azzurri di Romualdo si piantarono in quelli nocciola di Ada. Un luccichio impertinente, dentro l'azzurro, minacciava burrasca.

«Quella non è vita», disse con la voce tremula. «Quella è una prigione.»

Ada sottrasse il braccio destro a quella morsa, allungò la mano sul viso severo e lo accarezzò. Nessuno dei due avrebbe immaginato quel gesto. Romualdo si sentì nudo e confortato allo stesso tempo; Ada si sentì figlia, per la prima volta.

«È solo una grata. La libertà potrebbe nascondersi oltre quel confine, e io voglio valicarlo.»

Romualdo prese la mano ancorata al suo viso e la baciò.

Poi fuggì prima di vedere oltrepassato il confine. E fuggendo non salutò Dio. "Poteva avere chiunque", pensò. "Invece ha voluto lei!"

«Come è andata stamattina?» domandò Fortunato mentre tagliava con precisione millimetrica una cipolla.

«Così così…» rispose Giuditta asciugandosi le mani con un pagghiazzo di lino blu.

«Capisco», continuò Fortunato mentre gli occhi piangevano per il bruciore.

«Papà non l'ha presa bene. Non ha neanche voluto vedere Ada che entrava in convento. Vutau tunnu, e scappò!»

Fortunato fece spallucce e si asciugò le lacrime con la manica della camicia.

«E pure la mamma… fece scene terribili, sembrava che le stessero strappando il cuore dal petto. Per riaccompagnarla a casa Mario ebbe bisogno dell'aiuto di Nìria.»

«E tu?» domandò Fortunato.

«Maria Santa Fofò… io mi sono sentita accupare! Quel convento scuro scuro, e quelle monache con quelle facce tristi. E poi tutti quei crocifissi, quelle statue lunghe lunghe, e le campane, il rosario, la luce che entra appena dalle grate… cosa di nesciri pazzi!»

«Ti manca?» incalzò Fortunato.

Giuditta posò il biscotto che aveva addentato. Sospirò e calò testa. «Mi manca assai. Ma lo sapevamo tutti che finiva così, tutti tranne papà. Lui si illude che le cose vadano diversamente e poi ci resta malissimo.»

Fortunato non ribatté, si limitò a regalare uno sguardo di comprensione e passò, con disinvoltura, dalle cipolle alle carote.

«Che fai?» domandò Giuditta.

«Preparo il soffritto per la caponata d'inverno. Domani è venerdì.»

«E tuo padre dov'è?»

«Ha la tosse», rispose Fortunato. «Da tre giorni continua a tossire e non dorme né giorno né notte.»

«Ma è venuto il dottore?» chiese Giuditta facendosi seria.

«Non lo vuole. Dice che è sano come un pesce e ca i duttura portanu ittatura. "Quannu arrivunu chissi arrivò l'ora mia pro nobis…"dice sempre così; nun ci putemu cummattiri.»

Giuditta sorrise pensando a quel monsù con una verità sempre in bocca, poi aguzzò l'ingegno.

«Ma se glielo manda mio padre, non potrà lamentarsi…»

Fortunato si interruppe. Restò con la lama del coltello sospesa in aria, mentre una carota morente stava sul patibolo di marmo.

«Brava!» disse entusiasta. «Non si può certo dire no al signor marchese», aggiunse soddisfatto e riprese ciò che aveva interrotto.

«Fare la caponata d'inverno è un lavoraccio», constatò Giuditta nel silenzio di quella cucina immensa. «Ti aiuto?»

Fortunato non vedeva l'ora di ricevere quella proposta, e non soltanto per le ben diciotto verdure da pulire, tagliare e friggere singolarmente ma soprattutto per il piacere, forse egoistico, di non sentirsi solo. Di avere al suo fianco l'unica persona con la quale sentiva di poter essere se stesso.

«Sì!» rispose subito. «Tu continua a tagliare le carote, poi passerai ai sedani mentre io vado a prendere le altre verdure che avevo già messo da parte.»

D'un tratto Fortunato aveva ritrovato il sorriso. Le porse il coltello premurandosi di girarlo dalla parte del manico, si asciugò le mani arrossate sul grembiule bianco e scappò verso il ripostiglio della cucina.

Ne uscì fuori carico di un cesto, largo e profondo, traboccante di infiniti ciuffi d'ogni tipo di verde. Lo poggiò sul tavolo di marmo bianco e tirò fuori dalla tasca dei pantaloni uno dei suoi tanti taccuini neri, pieni come uova di inchiostro e ricette.

«Caponata d'inverno, caponata d'inverno... caponata d... ah eccola! Dunque», fece Fortunato assumendo un piglio quasi autorevole, «cipolle, carote e sedani li stai tagliando tu. Io devo pulire cicoria, agghiti, sanapo, cavolo vecchio, cucuzza d'inverno, spinaci, sparici... Ma sparici non ce n'è!» disse di colpo come se una trave lo avesse colpito in pieno petto.

«E dai... che t'interessa, chi vuoi che se ne accorga», provò a minimizzare Giuditta.

Ma Fortunato fu irremovibile. «Senza sparici che caponata è?»

Girovagò per qualche minuto intorno al tavolo, spostando con un impercettibile soffio di vento il ciuffo nero di Giuditta, che ondeggiava al battere del suo coltello.

«Mamma mia, Fofò. Ti sei fatto pesante. Stai fermo che fai un vento insopportabile e continua a fare la caponata.»

Fortunato si bloccò. Nulla aveva il potere di tranquillizzarlo come le parole sferzanti di Giuditta. Rise prima di riprendere a pulire le verdure e continuò a ridere anche dopo. E risero insieme mentre l'acqua schizzava sulle foglie e le lame affilate riducevano quel cesto in una matassa di sfilacci d'erba. Risero quando l'olio incandescente schizzava sui grembiuli e continuarono a farlo tutte le volte che Giuditta spizzuliava ciò che era stato fritto. Ridevano sullo zucchero dell'agrodolce, sull'aceto, sul sale e sulla cottura. Ogni argomento, anche il più banale, risultava divertente; un diversivo alla noia, un omaggio all'amicizia.

E quando Giannina entrò e li trovò allegri a tributare onori alla loro età, li lasciò fare. Biascicò solo un «Ah chi liscìa ca avemu…» e sparì.

Ma il tempo non si ferma mai sulla felicità. Ci vola sopra, come uno sparviero fa con la preda. Aleggia come un fantasma nelle pieghe disfatte dell'allegria. Ed è proprio quando ci si dimentica della sua petulante presenza che i suoi rintocchi diventano assordanti.

Fu il pendolo dell'anticucina, goffo e stonato, a spegnere quel rumore di vita.

Si gettarono entrambi, improvvisamente esausti, su due sedie traballanti. Fortunato con le gambe distese e larghe, Giuditta un po' più composta.

E si guardarono, come se quella fosse la prima volta.

«Fofò…» disse d'un tratto Giuditta mentre le sue pupille si allargavano come quelle di un gatto di notte. «Cos'è quella cosa lì?»

«Lì dove?» domandò Fortunato preoccupato.

«Lì sulla gola…»

Fortunato si toccò una leggera sporgenza al centro del collo, divenne rosso come se d'improvviso si fosse trovato nudo in mezzo a una piazza e balbettò qualcosa: «C'è da un po'…»

«Ti fa male?» domandò Giuditta allarmata.

«No, neanche lo sento.»

«Fofò dimmi la verità…» incalzò lei puntandogli l'indice a pochi centimetri dal naso.

«No, davvero», disse lui con un sorriso. «Maria Santissima.»

Capitolo 12

Palazzo Chiaramonte, 7 maggio 1898

«Fofò, scusami. Ho fatto tardi...» Giuditta entrò in cucina trafelata. Sotto il braccio destro teneva tre libri e un quaderno e nella mano sinistra stringeva tre matite.

«Quasi quasi rimpiango il canonico LoPresti, almeno lui, tra una chiacchiera e l'altra, qualcosa ci insegnava. Questo invece sembra un serpente. Al posto degli occhi ha due punte di spillo nere e non sorride mai...»

Fortunato la guardò dubbioso poi aggiunse un laconico: «Mah...»

«Mah che?» lo rimproverò Giuditta. «Ci sei tu a fare le lezioni? Siamo rimaste io e la povera Rosalia. Una più scecca dell'altra e lui non fa che ripeterlo. "Ma che metodo è questo, signorine, mi meraviglio della preparazione che il mio predecessore vi ha impartito." Gran camurria. Dovrebbe sciacquarsi la bocca prima di parlare male del povero canonico!»

Fortunato sorrise, mentre una montagna bianca di farina svettava sullo scanaturi di legno.

«Ma che c'è da ridere...» disse indispettita Giuditta.

«Niente. Penso solo a quando c'era il canonico e tu lo

facevi martire. Adesso che non c'è più e al posto suo è arrivato il maestro Bornò, farai martire lui.»

«Io non faccio martire nessuno, anzi… sono loro che fanno martire me. E una volta c'è Dante, un'altra Ariosto e poi Petrarca e San Francesco… ho la testa che fumulia. Piuttosto levati.» E con una spinta prese il posto di Fortunato di fronte alla montagna di farina. «Oggi tocca a me cucinare e a te fare i compiti.»

Giuditta si legò il grembiule intorno alla vita, che di giorno in giorno si faceva più stretta lasciando ampio spazio ai fianchi, e cominciò a impastare.

La cucina di Palazzo Chiaramonte era un viavai continuo di gente. Maruzza, Concetta e Giannina vi sostavano periodicamente. Tra una passata di pezza, una spolverata della casa, una rifatta di letti, si andavano a ristorare nel tepore di quel luogo accogliente. Bevevano un goccio di caffè accompagnato da un sapiente e dettagliato curtigghiu e poi sparivano. Donna Marianna, la madre di Fortunato, era sempre stata un perno fondamentale per la gestione della cucina. A lei toccavano spesso i ruoli più ingrati come pulire la verdura, tagliare le patate o tirare il collo alla gallina di turno. La sua presenza era rassicurante sebbene in questo ultimo periodo si assentava spesso per accudire don Nicola, ormai allettato da qualche tempo.

Saliva giusto a mezzogiorno, quando San Vincenzo scampanava i suoi dodici rintocchi sotto il cielo di Ibla. Si assicurava che Fortunato fosse sereno, che avesse preparato tutto a dovere e ripuliva la cucina da cima a fondo. Poi si concedeva mezzo bicchiere di vino diluito con l'acqua, dava un bacio al piccolo monsù, e ritornava da suo marito.

Spesso, tra conti e ricevimenti di massari, arrivava don Vastiano borbottando qualcosa. Prendeva anche lui una tazza di caffè dalla caffettiera sempre incandescente, sorrideva con fare ammiccante a Giannina e spariva.

Restavano le incursioni di padre Egidio, piuttosto rare ma non improbabili, e l'appuntamento quotidiano con Mommo, u spisaruolo, al quale Giuditta non andava mai perché in pieno orario di lezioni.

Ogni volta che uno degli avventori della cucina entrava e osservava i due ragazzi nel loro ciclico alternarsi dei ruoli, restava interdetto. I primi tempi la cosa aveva destato curiosità, chiacchiericcio e per alcuni anche un fervido e improvviso senso del dovere. «Ma chi nun c'avissima diri o marchisi…» ma tutto si concludeva rapidamente in un «Noooo, su picciriddi!»

Così i mesi passarono facendo diventare la presenza di Giuditta, con le mani in pasta, un'abitudine; così come una costante era vedere Fortunato con carta e penna, libri e quaderni, appollaiato sulle fornacelle.

Nessuno pensò mai che quei picciriddi, tuttavia, si stavano facendo grandi.

Fortunato si era riempito di una imbarazzante peluria biondastra. Le sopracciglia erano folte e un ridicolo baffo liscio si apriva al centro del labbro superiore come un sipario teatrale.

Giuditta invece preludeva alle sue forme femminee. Il seno ancora acerbo cominciava a fare capolino dai vestiti color pastello e le sue gambe, paffute, si stavano allungando lasciando presagire una altezza considerevole.

Nessuno se ne accorse e ben che meno lo fecero loro.

Per quanto il loro corpo fosse in subbuglio e per quanto potessero intravedere i cenni di un cambiamento, rimasero strenuamente legati al loro essere bambini, a una inconsapevole e precisa volontà di allontanare le fatiche dell'età adulta e assaporare, attimo per attimo, la bellezza del loro tempo.

Capitolo 13

Palazzo Chiaramonte, 12 ottobre 1898

Avvenne tutto un giorno, per caso. Ancora una volta il destino si prendeva gioco di due vite unendo due strade segnate dallo stesso colore.

Era mattina. Giuditta aveva terminato le sue ore di lezione e si era diretta, spedita e baldanzosa, in cucina.

«Oggi dobbiamo fare i tomasini», disse sfregandosi le mani.

«Vedi», fece Fortunato indicando gli ingredienti ordinati in fila sul tavolo, «ho già preparato tutto: ricotta, salsiccia secca, caciocavallo a pezzi, uovo sbattuto e pipi ardienti.»

«E l'impasto?» domandò Giuditta guardandosi intorno.

«L'impasto lo fai tu. Tre coppi di farina, quattro cucchiai d'olio, un pugno di sugna e l'acqua che serve.»

«E tu che fai?» chiese Giuditta.

«Io oggi devo studiare l'*Orlando furioso* che poi dovrò ripetere a te, che ripeterai al maestro Bornò.»

Giuditta unì l'olio, la sugna e l'acqua tiepida alla farina. Infilò le mani nell'impasto come se si stesse tuffando in un mare azzurro e caldo e avvertì il piacere di sempre.

Fortunato invece leggeva a voce alta: «Gli sopravvenne

a caso una donzella, avvolta in pastorale e umil veste, ma di real presenza e in viso bella, d'alte maniere e accortamente oneste».

«Fofò la pasta non si lega», disse Giuditta interrompendolo.

«Ma che significa? Ti scurdasti a impastare?»

«Quanto sei spiritoso... non lega e basta, sarà la farina oppure le dosi sbagliate», rispose piccata Giuditta.

«Ma quali sbagliate... le dosi quelle sono. Sempre le stesse. Dai qui, levati che impasto io.»

Fortunato si avvicinò a Giuditta e si infilò, con la stessa felicità che provò lei, dentro quella palla informe. E d'un tratto le loro mani divennero un tutt'uno che sinuosamente si andava muovendo a ritmo.

Restarono con gli occhi bassi, fissi sulla pasta che prendeva forma, improvvisamente impauriti da qualcosa.

«Fortunato devi venire. Alliestiti, subito!»

Maruzza era entrata in cucina come una furia. Era rossa in volto e respirava a fatica.

Fortunato tirò indietro le mani e con un balzo si allontanò da Giuditta.

«Chi fu? Che successe?» chiese sgranando gli occhi, mentre una premonizione gli stava salendo dalle caviglie fino alla gola.

«Tuo padre...» disse Maruzza portandosi la mano alla bocca.

Fortunato non ci pensò un attimo. Afferrò la mano di Giuditta piena di impasto colloso e la trascinò con sé. Cominciarono a correre, mano nella mano, per tutta la casa. Scesero le scale saltando i gradini a due a due, e attraversarono il cortile trascinandosi a vicenda. E quando arrivarono davanti alla porta, semichiusa, della casetta del monsù, Fortunato si bloccò. Lasciò la mano di Giuditta facendo cadere brandelli di pasta soffice per terra e abbassò lo sguardo.

«Forza, Fofò», lo esortò Giuditta.

Si guardarono a lungo. Lei con gli occhi vispi e neri, improvvisamente teneri. Lui con un lago ghiacciato, inaspettatamente profondo.

«Non voglio vederlo morire, non ci riesco», disse Fortunato mentre il ghiaccio si scioglieva in una cascata silenziosa.

«Avrà avuto solo una crisi, si riprenderà», provò a consolarlo Giuditta.

«Non è così», rispose. «Lo sai anche tu.»

Restarono lì ancora un po', l'uno accanto all'altra, immobili davanti all'uscio muto.

Poi Giuditta disse: «Lui avrebbe voluto vederti, non pensi?»

Fortunato si asciugò le lacrime impastandole di farina, annuì più volte e trasse un lungo e faticoso respiro: «Andiamo».

Entrarono nella piccola stanza che fungeva da casa e udirono, da dietro la tenda, il lamento delle prefiche nella camera da letto.

Fortunato scostò piano la tenda e lo vide.

Suo padre era disteso sul letto, un rosario di legno gli avvolgeva le mani diafane mentre un vestito scuro, che non gli aveva mai visto addosso, lo rendeva elegante come un barone.

Gli sembrò piccolo, emaciato ma non più sofferente. Troppe notti lo aveva soccorso in preda a una crisi respiratoria, troppe volte gli era parso di rubarlo alle braccia della morte per un soffio. E tutte le volte si sentiva sollevato da un lato e colpevole dall'altro. Quando le crisi finivano e il suo respiro, ridotto a rantolo, tornava regolare, don Nicola si vestiva di un sorriso che sembrava un ghigno e diceva: «Fammini iri, Fortunato. Nun fari u testardo; ca morti nun si babbìa».

Le prefiche interruppero la loro cantilena a tratti rassicurante e donna Marianna gli andò incontro.

«Non ha sofferto beddu miu. Ma crirriri!»

Fortunato le accarezzò la guancia paffuta, spazzando via una lacrima troppo lenta. Si avvicinò a suo padre e gli toccò le mani. Erano fredde. Come la statua di Gesù morto che i suoi genitori gli facevano baciare il Venerdì santo. L'associazione di pensiero gli regalò una lontana serenità. Gli sistemò il rosario che era scivolato e chiuse gli occhi. Restò in silenzio così, mentre la sua breve vita scorreva come l'Irminio sotto il ponte. In un attimo rivide ogni ricetta, ogni mestolo, ogni pentola e i mille gesti che aveva rubato negli anni. Lo rivide allegro mentre canticchiava e stanco mentre passava un testimone che forse avrebbe voluto tenere. Lo pensò giovane, forse bello, mentre amava una donna che gli aveva tenuto compagnia tutta la vita e poi lo guardò vecchio, mentre la bava della malattia lo deturpava della dignità.

«Ti renderò fiero di me», sussurrò piano. «Adesso sono grande anch'io.»

Lasciò la mano fredda e si rese conto di averlo sporcato di farina. Sorrise; pensò fosse giusto così e uscì.

Cercò Giuditta ma non la trovò. Andò fuori e cominciò a gridare: «Giuditta, Giuditta dove sei?»

«Sono qui», disse una voce rotta dietro un carretto nel cortile.

Fortunato la trovò accovacciata sulla paglia, abbracciata a se stessa e con lo sguardo basso.

«Non c'è più», disse Fortunato con gli occhi rossi.

Giuditta calò testa e pianse. Si abbracciarono, forse per la prima volta. E quando Fortunato la tirò su, si accorse che la paglia era sporca di sangue.

Erano diventati grandi insieme.

Maria Santissima!

Capitolo 14

Ibla, 22 marzo 1902

Il fatidico passaggio tra l'Ottocento e il Novecento avvenne in maniera indolore. La gente a Ibla si disinteressò al futuro roseo che alcuni avevano predetto e rimase sorda rispetto a quelle voci di catastrofi che certe fattucchiere avevano letto dentro improbabili sfere di cristallo.

Ibla era una realtà a sé, lenta e ordinata, sonnacchiosa e bella. Troppo pigra dentro quei silenzi assordanti riempiti solo dal suono sobrio delle campane e poi d'un tratto troppo euforica avvolta da raggi di sole caldi e luminosi, pronti a sorprenderla bellissima e vanitosa. Le notizie sul resto del mondo arrivavano come voci ovattate, con un'eco lontana che sfuma nel vento, tra il polline dorato e i petali caduti.

Le uniche informazioni che avrebbero potuto avere un fondamento di verità erano affidate ai giornali ma questi dovevano essere letti, innanzitutto, e poi interpretati, capiti e infine spiegati.

Troppo lavoro per chi lavorava davvero. E troppa fatica per chi guardava al lavoro con la sufficienza che un sedicente ruolo gli aveva attribuito.

La verità è che se nel paese azzurro e rosa, come il sogno di una puerpera, qualcuno avesse voluto davvero attingere al futuro, che si sa, nella bella terra di Sicilia giunge sempre in ritardo, avrebbe dovuto recarsi nella sartoria delle signorine Bandiera.

Le due sarte, sorelle gemelle omozigote, erano un gazzettino costantemente aggiornato non soltanto per i fatti che riguardavano il paese, dei quali parlavano adducendo certezze matematiche e verità assolute. Lo stesso piglio lo riservavano a qualsiasi evento di cronaca che riguardasse l'intero Regno spaziando dalla politica alla moda, dalla religione alla monarchia.

La sartoria, collocata tra la chiesa dell'Immacolata e quella di Sant'Agnese, si componeva di una stanza stretta e lunga con un grandissimo tavolo al centro pieno di stoffe, metri, cartamodelli e spilli, ed era tappezzata, lungo le pareti, da almeno dieci macchine da cucire.

Le signorine, non troppo belle ma avvenenti, dopo anni passati dentro la cruna di un ago, avevano deciso di concludere quell'ultima stagione della vita ricevendo le clienti. A loro spettavano i consigli, la scelta della stoffa, del modello e le misure da prendere. Ma la parte del taglio e della cucitura era ormai affidata a un nugolo di ragazze che, strette nei loro camici blu, rendevano quel luogo simile a un convento dove alla preghiera si sostituiva il curtigghio.

E si intenda. Entrare a far parte della sartoria delle signorine Bandiera era uno status, un treno che passava una volta nella vita e andava preso al volo perché, le datrici di lavoro, non soltanto pagavano il ventinove di ogni mese, ma concedevano, a turno, un giorno libero a settimana e un'ora piena di riposo all'ora di pranzo.

Quella mattina, alle nove precise, puntuale come le campane di Sant'Agnese, entrò nella sartoria Giannina, tutta trafelata come se stesse scappando da una banda di delinquenti.

«Giannina chi fu?» chiese Gnesa, la prima delle due sorelle che l'aveva vista entrare.

«Lassimi perdiri... tra cinque minuti arriva la marchesa», disse la cameriera slacciandosi il cappello di stoffa legato sotto il mento.

«Ma dove?» fece Nzina, l'altra sorella, voltandosi di scatto.

«Qua. Alla sartoria. Allura picchi m'arricugghì di gran prescia...»

La prima sorella batté le mani e contemporaneamente aprì la bocca, la seconda cominciò a girare intorno al tavolo, facendo sobbalzare il metro che teneva al collo.

«Ma comu ci vinni n'testa di fare questa improvvisata? Di solito dalla marchesa ci siamo andate noi a prendere le misure», domandò Gnesa che nel frattempo aveva chiuso la bocca.

«Piddaveru...» sospirò Giannina alzando gli occhi al cielo. «Fu una tristura di Giuditta, a figghia nnica ra marchisa. So matri ha perlomeno una misata che le dice "Dobbiamo fare un vestito, dobbiamo fare un vestito nuovo, ormai sei grande", e lei niente. Testarda come un mulo. Viri tu chi ci successe ieri, mentre stavano mangiando quieti e tranquilli, Giuditta pigghiò la parola e dissi: "Mamà, domani voglio andare dalle signorine Bandiera". E la marchesa cuntenta mi chiamò. "Giannina domani vai in sartoria a chiamare le signorine e di' loro di venire a prendere le misure a Giuditta." Ma idda, a picciuttedda, si scurò na facci e dissi: "Mamà, io voglio andare alla sartoria, non voglio che vengono qua". Nun ci fu verso. Si questionarru pi tutta a serata. Alla fine a spuntau Giuditta.»

Giannina sembrava esausta, come se quella discussione madre-figlia l'avesse riguardata personalmente.

«E va bene», replicò Nzina, fermandosi bruscamente dal suo gironzolare intorno al tavolo. «Alla fine di cosa ni stamu scantannu, di un poco di disordine? Nenti ci fa!»

E con una velocità fulminea le due sorelle, unite alle nove ragazze, presero a rassettare stoffe, merletti, riviste e spilli sparsi dappertutto. Nell'arco di pochi minuti sembrava che la sartoria fosse un'altra, linda come il primo giorno e, come quel giorno, priva di storia e di fascino.

Quando anche l'ultimo lembo di stoffa fu nascosto dentro i cassetti grondanti di cianfrusaglie, la porta si aprì.

La prima a entrare, per tenere la porta spalancata, fu Maruzza, la seguì Ottavia con la sua faccia patibolare e infine Giuditta con lo sguardo attento e severo.

«Oscenza, che piacere», fece Gnesa cerimoniosa mostrando un sorriso troppo aperto.

Ottavia ricambiò con uno appena accennato e disse: «Mia figlia Giuditta avrebbe bisogno di vestiti nuovi adesso che la primavera incombe. E ha preferito venire qui di persona per avere una più vasta scelta delle stoffe e dei colori…»

Ottavia e Giuditta si scambiarono uno sguardo che

stava a metà tra l'incomprensione non ancora risolta e l'intesa.

«Ah ma se era pi chiustu», disse subito Nzina, «potevamo portare tutte le stoffe a palazzo.»

Ottavia non rispose; si limitò a lanciare un'occhiata sdegnata poi chiese una sedia, che le venne posizionata accanto, e vi si lasciò cadere sfinita.

D'un tratto, l'aria dentro la sartoria divenne irrespirabile. Le signorine erano rimaste interdette, Maruzza e Giannina avevano ancorato al pavimento i loro occhi e le nove ragazze avevano smesso di premere sui pedali delle macchine da cucire. L'unica che vagava distrattamente intorno al tavolo, facendo scivolare l'indice tra le scanalature del bordo di legno, era Giuditta.

«Pensavo ci fossero stoffe dentro una sartoria…» sottolineò indossando un sorriso di circostanza insopportabile.

«Oh sì, signorina. Ci sono eccome!» rispose Gnesa piccata. «Vorremmo prima capire di cosa avete bisogno e di conseguenza sapremo consigliarvi le stoffe più adatte.»

«Vorrei tre vestiti. Qualcosa di leggero, mi raccomando, poiché patisco il caldo.»

«Benissimo!» disse Gnesa mentre Nzina recuperava l'ultimo numero dell'«Illustrazione Italiana».

«Guardate, signorina», riprese Nzina, «le ho portato "Margherita", "L'Eco della moda" e "L'eleganza". Sono le tre riviste più accreditate di moda, ed escono tutte con "L'Illustrazione"…»

«Conosco bene l'"Illustrazione Italiana"…» rispose Giuditta.

«Certo», disse Gnesa traendo un lungo respiro. «Mia

sorella voleva dire che noi siamo abbonate anche a questi tre inserti che si occupano specificamente di moda.»

Giuditta non proferì parola e prese a sfogliare le riviste.

Sembrava che guardasse ogni cosa tranne le immagini stampate su quelle pagine, con un atteggiamento altezzoso e superbo, ben lontano dal suo carattere e dalla sua indole da maschiaccio. Era irrequieta, come se stesse cercando qualcosa o come se volesse rubare un gesto, un pensiero.

Ottavia la guardò stranita e sospettosa. Pensò che fosse una conseguenza dell'età e si accasciò nuovamente nella sua eterna stanchezza.

Giannina e Maruzza invece sentirono l'agrodolce di un sentimento controverso e rimasero a guardarla, come si osserva un bruco che diventa farfalla.

«Mi piace questo», disse poi indicando un abito per nulla sobrio.

«Dunque vediamo, signorina», disse Nzina inforcando un paio di occhiali sopra il naso aquilino. «Qui dice… "pure grazioso è l'abbigliamento di taffettà nero; davanti è a grembiale Luigi XV ornato di incrostazioni di grossa garza nera broccata sopra trasparente di taffettà bianco; i fianchi sono formati da tre strisce rigate di taffettà nero e grossa garza foderata di taffettà bianco; strascico di taffettà liscio; camicetta di grossa garza foderata di bianco con alto corsetto di nastro d'oro e corto bolero sciolto di taffettà a pieghe di traverso con maniche Luigi XV sopra maniche di mussolina pieghettata".»

«Ecco esatto voglio questo», sottolineò Giuditta con l'indice puntato sull'immagine.

«Certamente, signorina», disse Gnesa prendendo la parola. «Se vostra madre è d'accordo possiamo procedere con le misure.»

Ottavia annuì distrattamente sbattendo le ciglia un paio di volte e le due sorelle invitarono Giuditta, accompagnata da Giannina, ad accomodarsi nel retrobottega.

Ci misero circa venti minuti per misurare ogni centimetro di quel corpo esile e ben fatto. E quando uscirono da quella stanza piccola e angusta, una certa soddisfazione poteva leggersi nello sguardo delle due sarte.

«Oscenza, verrà un lavoro meraviglioso. Vostra figlia ha scelto bene, e con buona grazia ro Signuruzzo, è proporzionata assai...»

Ottavia si alzò più stanca di quando si era seduta e si limitò a dire: «Avvertite Giannina quando l'abito sarà pronto».

Giuditta invece sembrava non volersi muovere da lì. C'era qualcosa che la teneva ancorata a quel tavolo, a quelle cementine colorate, a quelle pareti azzurre.

Poi, sembrò farsi coraggio e disse: «Ho saputo che tra le vostre lavoranti ce n'è una molto brava, mi dicono si chiami Annetta».

La ragazza stava in fondo alla stanza e quando sentì il suo nome si alzò di scatto e divenne rossa come una primula ad aprile.

«Desidero sia lei a cucire quest'abito.»

Gnesa le si avvicinò piano all'orecchio e disse: «Ma Annetta è ancora molto giovane...»

«Desidero sia lei», ribadì risoluta Giuditta. «Potete farla venire a casa per le prove. E adesso con permesso.»

Maruzza aprì la porta e l'aria dentro la sartoria ritornò a circolare.

Dalla finestra della cucina si poteva ammirare un mandorlo in fiore intento ad accarezzare i rami ancora spogli di un gelsomino profumato. Giuditta si fermò a osservarlo in silenzio, mentre una leggera brezza spazzava via quel fiore candido, lasciando spazio al rosa antico dell'infiorescenza.

«Perché non parli?» le chiese Fortunato mentre friggeva fricitte di carne macinata e uova.

«Così…» rispose Giuditta.

«Ma che risposta è così?»

«La risposta che piace a me», puntualizzò Giuditta con la mascella serrata.

Fortunato alzò le spalle, sussurrò un «Mah» e riprese il suo lavoro ma non passarono che pochi secondi prima che la tempesta che Giuditta covava da qualche giorno non scoppiasse con la virulenza di un vulcano.

«Vuoi sapere cosa c'è?» disse allora alterando la voce.

«Se vuoi dirmelo…»

«Bene. Te lo dirò… Non sei un amico sincero Fortunato!»

«Io?» ribatté il monsù strabuzzando gli occhi.

«Sì, proprio tu. Che poi, perdonami, ma non capisco proprio cosa tu ci possa trovare di tanto bello.»

«Ma a chi? Di cosa stai parlando?» continuò a domandare Fortunato schizzando olio bollente a destra e a manca.

«È bassa e, non me ne voglia, anche grassa. E poi ha

gli occhi storti, ma storti davvero… uno a Cristo e l'altro alla Madonna.»

«Giuditta hai preso troppo sole?» chiese Fortunato che non sapeva più come arrestare quel fiume in piena.

«Vuoi dirmi di no? Vuoi negarmi che ha gli occhi storti? O vorresti forse dirmi che è una bella ragazza? Guarda Fortunato, tu puoi fare quello che vuoi, se ti accontenti così buon per te però sappi che avresti dovuto dirmelo.»

«Mi stai faciennu nesciri pazzu!» tuonò il ragazzo. «Di cosa stai parlando?»

«Non fare lo gnorri… lo sai benissimo. Annetta della sartoria…» disse Giuditta incrociando le mani sotto il seno e voltandosi verso la finestra.

«La zita di Nanè?» domandò Fortunato.

«Ma quale Nanè… ti ho sentito benissimo l'altra volta che dicevi quanto era bella, che il pensiero tuo andava sempre a lei e che le sue mani erano come rose sulla stoffa candida… ridicolo!»

Fortunato allargò le labbra in un sorriso immenso. Ogni dente, bianco e allineato, sembrava brillare su quel volto angelico. Giuditta guardava ostinatamente oltre i vetri della finestra ma sentì i passi del ragazzo avvicinarsi a lei. Si voltò di scatto e restò a guardarlo trovandolo bello, così bello da poterlo odiare.

Tra loro correva solo la distanza di un bacio, la più lunga che un essere umano possa percorrere.

«Ho scritto una lettera per Nanè. Mi hai sentito mentre la leggevo.»

Giuditta restò pietrificata. Avrebbe voluto allentare

tutta quella rabbia in un abbraccio ma restò immobile, mentre, come ghiaccio al sole, si cominciava a sciogliere.

«Dunque Annetta non è la zita tua…?» chiese sottovoce.

«No.»

Restarono fiato contro fiato per un eterno istante. Poi Giuditta fece un passo indietro abbassando lo sguardo e cominciò a ridere. E mentre rideva alcune lacrime stupide e impertinenti scesero lungo le guance bianche e sulle labbra rosse.

Fortunato se ne accorse e riprese a friggere.

«Fofò sai qual è la cosa più stupida che io abbia mai fatto?»

«Credere che io fossi zito con Annetta?» chiese Fortunato.

«No. Chiedere di farmi fare un vestito da lei, tra l'altro orrendo, per metterla a disagio…»

«Mischina…» sospirò il ragazzo scuotendo la testa.

«Domani cercherò di risolvere…»

Giuditta aprì la finestra per respirare quell'aria nuova e Fortunato riempì il vassoio di fricitte.

Restarono in silenzio a cullare i propri pensieri. Giuditta ammonendosi e Fortunato esaltandosi.

«Vuoi assaggiare?» Fortunato le aveva portato una polpetta calda e incastagnata.

Giuditta l'addentò e mentre la carne incandescente fumava dentro la sua bocca Fortunato chiese: «Ma sei gelosa?»

Sventolando la mano destra davanti alla bocca semiaperta per spazzare via quel calore e, mentre gli occhi sorridevano, lei farfugliò un «No, Maria Santissima».

Capitolo 15

«In nomine Patris, et Filii, et Spiritus Sancti. Amen.» Padre Egidio aveva aperto il suo breviario dentro il quale, a mo' di segnalibro, faceva capolino un rosario di legno grezzo.

In quel salotto verde, avvolto nella penombra delle persiane chiuse, stavano sedute le donne di casa e, considerata la funesta giornata del Venerdì santo, il rosario era esteso a ogni persona facente parte della famiglia Chiaramonte. Bambini e adulti, cameriere e marchesi, parenti e congiunti: tutti riuniti nella preghiera al Cristo morto.

Ottavia, insieme alle cognate Nela e Lucia, sedeva sul divano di seta color dell'oro. Era avvolta in un abito rigorosamente nero e aveva il viso coperto da una veletta di pizzo dalla quale, a dispetto dell'età, si intravedevano due brillanti occhi color del carrubo.

Nel divano dirimpetto, Romualdo sembrava incastrato tra don Ciccio, suo fratello, e don Raffaeluzzo, suo cognato. Si leggeva chiaramente la noia sul volto dei tre che avrebbero preferito starsene al circolo a commentare fatti di politica o di economia piuttosto che pregare impalati, come statue di marmo, su quel divano.

A cerchio, poi, distribuiti senza una particolare gerarchia, stavano tutti gli altri.

Solo Amalia aveva un posto di riguardo accanto alla madre e alle zie. Lei che era l'unica a vantare il titolo di donna sposata. Giuditta era invece seduta sullo sgabello del pianoforte che divideva, una natica ciascuno, con Rosalia. Nel punto diametralmente opposto Fortunato, in piedi, sbucava da dietro le possenti spalle di sua madre che, per via dell'età e della cecità ormai incombente, aveva ottenuto una poltrona.

Giuditta guardò Fortunato facendo smorfie e schiacciando goffamente l'occhio sinistro ma lui restò impassibile.

Suonavano in quel momento le tre.

Padre Egidio tacque e si inginocchiò. Lo seguirono tutti, anche donna Marianna, che cercò il braccio di Fortunato e tentò di piegarsi in un impacciato inchino.

Quando le campane di San Vincenzo smisero di suonare a morto, padre Egidio ricominciò: «Gloria Patri, et Filio, et Spiritui Sancto».

E tutti gli altri in coro: «Sicut erat in principio, et nunc et semper et in secula seculorum. Amen».

«Nel primo mistero doloroso», continuò padre Egidio, «si contempla la sofferenza di Gesù nel Getsemani. Pater noster qui es in caelis…»

«Romualdo…» disse don Ciccio biascicando le parole e nascondendo la bocca con le mani per non essere visto dalle pie donne che aveva innanzi, «senti un po'… ma quant'avi che Amalia, a figghia, si sposò?»

Romualdo ci pensò su e rispose: «A luglio cinque anni, mi pare…»

«Oh… e non ti pare che passò troppo tempo?»

«Ma chi è ca vuoi, Ciccio?» aveva chiesto Romualdo alzando di pochissimo il tono della voce.

Ottavia si era accorta del loro parlottare e aveva scandito bene le parole in risposta al Padre nostro, puntando gli occhi da cerbiatta oltre la veletta nera sul marito e sul cognato.

«Et libera nos malo. Amen.»

I due, mortificati come bambini, si erano rimessi dritti e muti.

Padre Egidio continuava spedito: «Ave Maria, gratia plena, dominus tecum, benedicta tu in mulieribus, et benedictus fructus ventris tui, Iesus».

«No, io niente voglio», riprese don Ciccio abbassando ulteriormente il tono, «ma dopo cinque anni non c'è l'ombra di un picciriddu, può essere?»

«Ma saranno pure fatti loro, Cicciuzzo mio. Pensa a Gesù Cristo e fatti i fatticieddi tuoi», sentenziò Romualdo piccato.

Don Ciccio mormorò un «Mah…» e ricominciò il rosario. «…nunc et in hora mortis nostrae. Amen.»

Non riuscirono nemmeno a finire la prima posta che don Ciccio disse: «Certo ca nun putisti aviri fortuna. Prima quattro fimmine e ora, che potevi avere un masculiddu per nipote…»

Romualdo stringeva in mano un rosario di smeraldi grezzi, un antico pezzo di famiglia che tirava fuori solo nelle occasioni di grande lutto: morte di parenti e morte di Nostro Signore.

Lo attorcigliò tra le nocche e lo strinse talmente tanto da procurarsi dei minuscoli tagli sui polpastrelli. Poi alzò lo sguardo e cercò Amalia. Le sembrò di vedere una bambina in un covo di donne. Tra i suoi capelli non vi era l'ombra di un solo filo bianco e le sue mani erano curate. Neanche una ruga le oscurava il viso sul quale era perennemente celata, dietro il sorriso, l'ombra della malinconia.

Suo fratello aveva messo sale su una ferita aperta. Tante volte in questi cinque anni aveva pensato al perché Dio volesse privare sua figlia, la più dolce tra le sue figlie, colei che più di chiunque altro sapeva comprenderlo e stargli accanto, di una gioia così grande.

Il primo anno passò così, con la frenetica attesa di una notizia, mese dopo mese, giorno dopo giorno. Poi le ore si accavallarono alle stagioni e gli anni si unirono per moltiplicarsi. Romualdo smise di chiedere a Ottavia e forse la stessa Ottavia evitò di domandare ad Amalia. Cadde il sogno nell'oblio, nell'attesa che si era fatta illusione. Amalia appariva tuttavia serena e il suo rapporto con Mario sembrava disteso. I due avevano preso a condividere la vita, momento per momento. Se leggeva uno, l'altra lo ascoltava. E se tra i due, qualcuno decideva di mettersi a letto, l'altro la seguiva. Quel rapporto nato per caso, sull'impulso di un interesse e di una costruzione sul tavolo delle proprietà, era diventato solido; nonostante l'assenza di un figlio.

Romualdo spostò lo sguardo sul cugino Mario e lo trovò improvvisamente vecchio. I capelli erano radi e bianchi e le sue mani, ancorate alle spalle di Amalia, si erano increspate come fa il mare prima di una burrasca.

Due solchi sul viso segnavano l'ineludibile distanza tra lui e la giovane moglie.

"Ma cosa ho fatto?" pensò Romualdo con lo sguardo vitreo sul nulla. "Ho venduto la felicità di mia figlia, la sua gioventù per la mia vanagloria, le sue legittime ambizioni di madre, per il piacere mio…" Restò così, assorto e stralunato mentre i misteri si snocciolavano sui grani del rosario.

Si destò quando padre Egidio, con tono più eloquente, disse: «Nel quarto mistero doloroso si contempla la salita di Gesù sul Calvario carico della Croce».

Fu in quel momento che Amalia alzò gli occhi e incontrò quelli di suo padre. Gli sorrise, d'istinto, o forse perché aveva visto nell'azzurro di Romualdo un velo di lacerante tristezza. Lui si sentì nudo, trasalì come se in quel sorriso ci fosse la conoscenza, da parte di Amalia, di ogni suo pensiero. Abbassò lo sguardo sulla corona di smeraldi e si unì al coro: «…et dimitte nobis debita nostra, sicut et nos dimittimus debitoribus nostris…»

«Per la verità io ti vulia addumari un'altra cosa…» incalzò per l'ennesima volta don Ciccio riducendosi a sussurrare. «Il fatto è: visto che Amalia nun havi picciriddi, Ada a spusasti co Signuruzzo e Giuditta mi pari ancora troppo nnica, perché non facciamo nu bellu matrimonio tra Rosalia e Mimì?»

Romualdo, che intanto recitava distrattamente l'Ave Maria, si ammutolì.

Si girò lentamente verso il fratello e lo fissò.

Don Ciccio scrollò la testa come a dire «Che vuoi?» e lui ricambiò mettendo in bella mostra una faccia di sdegno e di commiserazione. Poi si voltò verso Mimì, il primo dei tre figli di don Ciccio, e lo squadrò dalla testa ai piedi.

Era un ragazzo mite, educato ma brutto quanto la peste

di Scicli. Aveva un naso aquilino e sproporzionato rispetto al suo viso minuscolo. Non vi era un solo dente, nel suo sorriso, in parallelo con l'altro e, come se tutto questo non fosse già abbastanza, era così magro da sembrare malato.

Ma ciò che rendeva la proposta di don Ciccio inaccettabile era la scarsa brillantezza d'intelletto di quel povero ragazzo.

La gente lo definiva «babbuliddu» o «vasciu di munnu». In realtà era un semplice e pertanto lo si sarebbe potuto annoverare tra i puri. Ma di certo non era l'uomo giusto per Rosalia. Lei era una ragazza estroversa, allegra, con una sfacciata propensione alla mondanità. Romualdo vedeva al fianco di sua figlia un uomo affascinante, intelligente, in grado di stare con lei nell'eterno gioco della novità.

Tirò un respiro profondo e buttò fuori l'aria facendo un gran rumore.

Ottavia lo guardò di nuovo torva e cominciò a scandire ogni sillaba senza distogliere lo sguardo dal marito: «Sancta Maria, Mater Dei, ora pro nobis peccatoribus, nunc et in hora mortis nostrae. Amen».

Romualdo ancora una volta calò testa, mortificato, e si consolò pensando che restava solo l'ultimo mistero doloroso.

Anche padre Egidio sembrava esausto e dal quarto mistero aveva preso a correre mangiandosi le parole: «Nel quinto mistero doloro…si contemp…la Crocifissione e Morte di Gesù».

E mentre il padre parroco scivolava sul Padre nostro, dimenticando il capo chino e il silenzio dovuto, don Ciccio tornò alla carica.

«Fai come vuoi, ma Mimì a me pare l'unica speranza per un matrimonio come si deve in questa famiglia. Del resto Giuditta...»

«Giuditta cosa?» chiese Romualdo.

«Be', chi vuoi se la prenda una che passa la vita a fari a cammarera in cucina, per di più culu e camicia col monsù...»

Romualdo divenne paonazzo, sentì la pressione salirgli fin sopra la punta delle orecchie e la rabbia montare come quella crema con le uova che, per l'appunto, faceva Fortunato.

Si alzò di scatto ammutolendo il rosario e afferrò suo fratello per il colletto.

Nel salotto cadde il silenzio. Una immaginetta di san Tommaso, dentro il breviario di padre Egidio, scivolò per terra e sembrò una voragine aperta in quel buio della parola.

«Ripeti quello che hai detto», disse Romualdo piantandogli addosso gli occhi irrorati di sangue. «Ripetilo», gridò, mentre Giuditta e Rosalia si presero per mano e Amalia guardò sua madre stralunata.

Don Ciccio scosse la testa e, con la poca aria rimasta in gola, provò a dire: «Scusami».

Solo allora Romualdo mollò la presa. Ripose con cura il suo rosario di smeraldi dentro il sacchettino di velluto rosso e si sistemò la cravatta.

Poi, rivolgendosi ai presenti, disse: «Il rosario finisce qui, tanto lo sappiamo tutti che domenica è bello che risorto».

E tra una bestemmia e una verità se ne andò, lasciando tutti sbigottiti e increduli, con il crocifisso tra le mani e la curiosità dentro i pensieri.

Capitolo 16

Palazzo Chiaramonte, 29 marzo 1902

«Ti sei svegliata presto?» esordì Fortunato vedendola entrare in cucina alle sette del mattino.

Giuditta lo guardò distrattamente con gli occhi semichiusi e si andò a sedere al tavolo di marmo senza dire una parola.

«Caffè?» incalzò Fortunato che invece sembrava avere tutta l'energia del mondo dentro il suo corpo esile e asciutto.

Lei annuì e poggiò la testa fra le braccia incrociate sul marmo freddo.

Quando l'aroma del caffè inebriò la cucina e risalì le narici di Giuditta fino a risvegliarle i sensi, lei si destò.

Osservò Fortunato che lo versava nelle tazzine scheggiate, quelle destinate alla cucina. Sorrise mentre lo zuccherava; un cucchiaino pieno per lei, uno scarso per lui.

Pensò che fra loro non vi erano segreti, non c'era nulla che lui non sapesse di lei e niente, almeno sperava, che lei non sapesse di lui.

Quando il caffè fu zuccherato e rimestato, lui glielo porse.

Che belle mani aveva, così grandi e così vere. Mani di chi lavora ma anche mani di chi scrive, di chi sogna, di chi ama. Quell'ultimo pensiero la scosse e la rese inquieta. Provò a scacciarlo e alzò lo sguardo. Si soffermò sui capelli che con gli anni avevano perso quel biondo acceso per diventare cenere, e sui ricci che si erano ammorbiditi divenendo onde di un mare che sta per calmarsi.

Era bello. Chiuso dentro il grembiule bianco, con la camicia lisa e i pantaloni stretti in vita. Era bello nonostante la stanchezza segnasse il suo viso, nonostante quella ingiusta ruga sulla sua giovane età gli solcasse la guancia. Era bello quando stava assorto sulle pagine dei libri, seduto accanto ai fornelli, e quando sorrideva soddisfatto, come se la vita gli avesse dato tutto, più di quello che un uomo avrebbe potuto sperare.

Giuditta bevve il caffè d'un fiato, come a nascondere quei pensieri che sembravano urlare e disse: «Adesso mi sveglio, giusto il tempo di riprendermi...»

«Eh signorina bella... io mi sveglio alle quattro ogni mattina. È solo questione di abitudine», ribatté lui ironico.

Giuditta accennò un sorriso forzato, si sentì in colpa. Avrebbe voluto abbracciarlo invece andò a prendere il grembiule.

«Secondo te cosa è successo ieri fra tuo padre e tuo zio?» domandò Fortunato, stemperando, come era suo solito, l'imbarazzo di Giuditta.

«Vallo a sapere, Fofò. Ieri sera nessuno disse più una parola. E comunque deve averlo fatto arrabbiare assai perché non lo avevo mai visto così.»

«Già...» farfugliò Fortunato mentre si preparava a

quella lunga e intensa giornata. Poi continuò: «C'è da lavorare oggi. Ci sono da fare quattordici impanate, otto pasticci di carne e piselli, e almeno una decina di cassate. E alla fine arrizzietto i turciniuna, tanto il budello l'ho fatto ieri».

All'idea dei turciniuna Giuditta si rallegrò e disse: «Buoni! A me piacciono…»

Fortunato la guardò con la tenerezza che si riserva a un bambino che cerca la calia e rispose: «Lo so, ma devi mangiarli di nascosto. Tuo padre non vuole neanche vederli».

«Che assurdità! Non esiste cosa più buona», sentenziò Giuditta siddiata.

«Gli fanno impressione le interiora e nei turciniuna c'è tutto, cuore, fegato, reni, polmoni…» e mentre elencava i vari ingredienti il suo viso si contraeva in una smorfia.

«Tanto lo so che non piacciono neanche a te…» disse Giuditta ridendo.

Fortunato tacque. Odiava quel piatto così violento, il cui sapore impregnava le stoviglie e le posate. E ogni anno, per Pasqua, si sacrificava a farlo per accontentare le cameriere di casa, don Vastiano e i massari che in cambio di ricotta e agnelli ricevevano i turciniuna belli e pronti.

Era un lavoraccio. Per ore puliva il budello con bicarbonato e limone e poi era costretto a sezionare l'agnello. Lo guardava disteso sul tavolo, con gli occhi sgranati dal terrore, e gli chiedeva scusa. Poi incideva il petto e inaugurava un'altra, santissima, Pasqua.

«Va be', Fofò, nun ci pinsari! Cominciamo dalle cassate o dalle impanate?»

«Dalle impanate: tu, che lo ami tanto, occupati dell'agnello e io impasto. Per la cassate tra poco arriverà Maruzza e la sua pasta frolla nun si po livari ra ucca...»

In quella cucina, consumata dal vapore e dal fuoco, si riproponeva la stessa scena di sempre: due bambini, diventati adulti in una notte di primavera, condividevano la vita. Si erano accompagnati mano nella mano, dal primo giorno, che forse un giorno non era. Avevano condiviso sogni e speranze rimanendo ancorati tenacemente alla loro amicizia. Giuditta aveva permesso a Fortunato di studiare e in cambio lui le aveva spalancato le porte di quel mondo che lei amava: la cucina.

Erano diventati complementari. Nessuno avrebbe saputo dire dove finiva uno e dove cominciava l'altro. Erano capaci di lunghissimi silenzi e di logoranti conversazioni intorno al nulla. Giuditta ferma sulle sue posizioni, con una verità sempre in tasca, con il piglio della sua femminilità. Fortunato eternamente accondiscendente, con quel sorriso placido sul volto ingenuo, con la ferrea volontà di renderla felice.

Stavano distanti dandosi la schiena. Lei tagliava a pezzi l'agnello e lo condiva con pepe nero e sale e lui stava piegato su otto chili di farina e un mastodontico cubo di sugna.

Si sbirciavano a vicenda.

Giuditta cominciò a canticchiare qualcosa e Fortunato si voltò per guardarla. Aveva delle belle spalle a sostenerle un seno piccolo e sodo. Da qualche tempo stava stretta dentro corpini di stecche che le segnavano la vita sottile e i fianchi. Teneva i capelli sempre legati da un nastro azzurro ma, quando si piegava sul cibo, una ciocca nera scivolava fuori e le ricadeva sul viso.

Di colpo lei si voltò e lui non poté scappare. Restarono smarriti in quello sguardo che si incrociava e arrossirono, con le gote infiammate dall'imbarazzo, con il battito del cuore impazzito.

«Forse c'è troppo sale», disse Fortunato mentre la lingua incespicava.

Giuditta balbettò qualcosa e riprese a tagliare l'agnello.

Si chiusero ancora una volta nei loro silenzi, ognuno carezzando un'idea, un sogno. Per ogni istante della loro vita, bello o brutto che fosse, l'uno aveva sostenuto l'altro. Non c'erano ricordi, nella loro giovane memoria, che non fossero condivisi. Ogni prima cosa era stata una conquista comune: il primo bagno, il primo mare, il primo sole, il primo rosario, la prima lezione, le prime ricette. La vita stessa, come prima felicità dell'esistenza, era indissolubilmente legata ai due.

E più i loro pensieri si facevano immensi più uno strisciante imbarazzo si impadroniva di entrambi.

Fortunato cominciò a impastare con più lena e Giuditta provò a smorzare la tensione.

«Sei felice, Fofò?» domandò senza la decenza del preavviso.

«Che domande... ovvio che sono felice», rispose lui incerto.

«E non ti manca nulla?»

«Ogni tanto mi manca mio padre, è andato via di prescia, troppa prescia, avrebbe avuto tanto da insegnarmi ma è andata così, non voglio piangermi addosso. Ho la salute, ho un lavoro...» poi trasse un respiro quasi sofferto e senza distogliere gli occhi dalla pasta aggiunse: «...ho te».

Giuditta avvampò, come il sole a mezzogiorno, come i pomodori lasciati a essiccare. Si sentì bruciare come se una improvvisa febbre si fosse impossessata del suo corpo. Si toccò il petto, premendo forte in direzione del cuore per evitare che scoppiasse o che il suo battito potesse essere visibile oltre il corpetto verde.

Fortunato invece si staccò da quell'immensa palla di impasto morbido e con un fare quasi minaccioso si avvicinò a lei.

Le si fermò a pochi centimetri. Il suo mento sfiorava l'attaccatura dei capelli di Giuditta, ne percepì il profumo e lo respirò, a pieni polmoni. Lei invece sembrava imbambolata. I suoi occhi neri puntarono la gola di Fortunato, vide la barba dentro la pelle bianca e sentì distintamente la sua saliva andare giù.

"Non ti avvicinare Fofò, non ti avvicinare", pensò mentre una parte del suo cuore, la più vera, non avrebbe desiderato altro.

Fu un attimo. Prima che Giuditta potesse allontanarsi o Fortunato avvicinarsi ancor di più, si spalancò la porta e un convoglio allegro e chiassoso irruppe in quella parentesi di emozione.

Fortunato si piegò prontamente fingendo di aver perso qualcosa e Giuditta lo seguì in quella recita improvvisata. Nessuno sospettò che le distanze si erano accorciate troppo: i due ragazzi erano un fatto indiscutibile, al punto da apparire angelico.

La mattinata trascorse tranquilla, tra impanate da chiudere e cassate da condire. Il forno emanava un calore d'inferno e la cucina si era trasformata in un girone dantesco. Maruzza cesellava le cassate come fossero gioielli di alta oreficeria e Giannina cercava di ripulire la gran confusione di pentole e cazzarole che si erano ammucchiate ovunque.

Suonavano intanto undici rintocchi nella chiesa di San Vincenzo.

«Maria chi è tardi», disse Maruzza con la crestina afflosciata sui capelli a mo' di cuffietta per la notte.

«Sa cunsari ancora a tavula», aggiunse Giannina. «A manzuornu ci su don Raffaeluzzo e donna Lucia e pure a signorina Amalia co marito. U cavaleri, invece, don Ciccio, mannau a dire che non viene.»

Maruzza alzò le spalle e aggiunse: «Acqua i rivanzi e vento i rarrieri».

Giuditta sorrise per quella affermazione così sanguigna e si sentì sollevata. La presenza dello zio Ciccio avrebbe creato tensioni e indisposto tutti i commensali. Sarebbe stato un pranzo del Sabato santo più disteso.

Maruzza e Giannina si lavarono in fretta e furia le mani e lasciarono le cassate da infornare, raccomandando massima attenzione a Fortunato sulla cottura.

Poi sparirono, con lo stesso rumoroso trambusto con il quale si erano presentate.

Ancora una volta la cucina era ritornata un regno per un solo re e una sola regina.

Nessuno dei due aveva dimenticato ciò che era accaduto prima e, pur facendo finta di nulla, avevano scientemente evitato di rivolgersi la parola o di incrociare i loro sguardi. Giuditta si era messa ad aiutare Maruzza mentre Fortunato trafficava tra il forno e le impanate. Quando restarono nuovamente soli la mannaia dell'imbarazzo ripiombò, letale, sulle loro teste.

Presero a gironzolare distrattamente intorno a ogni cosa. Prendevano e spostavano oggetti, attizzavano il fuoco che avrebbe, piuttosto, dovuto essere domato, sistemavano le impanate e stendevano la ricotta sempre sullo stesso punto. Ma quando, nella impacciata volontà di riempire il silenzio, Giuditta si scottò con un ferro incandescente, Fortunato non poté fare a meno di tornarle accanto.

Le prese la mano dolorante e le soffiò sopra. Lei non oppose resistenza. Sentì il calore di quel fiato bruciare più della scottatura e si rese conto che non bruciava quella piccola ustione bensì lei.

Tremava e bruciava al contempo, e a quel tenero tremore si unì anche lui.

E così il soffio divenne sempre più debole fino a sparire lentamente in un bacio. Fortunato poggiò le labbra sul palmo della mano, poi alzò gli occhi.

Tante volte si erano guardati intensamente, alcune per gioco altre per ragioni più intime.

Ma questa volta era diverso.

Si può vincere il cuore quando urla una volta. Si può fare appello alla ragione quando impone rigore. Ma è la stessa ragione che poi tradisce, subdola, inseguendoti nelle notti insonni e urlando, come una prefica nera, il suo nome. E quando il suo volto prende la forma del sonno e la sua voce quella del silenzio, la ragione deve fare spazio al sentimento. Non c'è forza che possa contrastare l'ineluttabile attrazione di due occhi che si cercano, di due mani che si sfiorano, di due bocche che non desiderano null'altro che unirsi.

Fortunato risalì lungo il braccio, i seni e il collo bianco di Giuditta. Si fermò lì, tra il naso e il mento, il tempo giusto di respirare, come quando ci si tuffa e si chiudono gli occhi prima di saltare giù.

Giuditta si sentì mancare il terreno sotto i piedi, si appoggiò a Fortunato che le era così vicino da poterne udire il sangue scorrere nelle vene.

Si erano arresi. Dopo una guerra durata diciotto anni, dopo infinite risate e altrettante lacrime, dopo tanti segreti da custodire e poche verità da urlare, potevano, finalmente darsi tregua.

Le campane suonavano mezzogiorno a festa; Cristo era risorto.

Era il momento di darsi felicità.

Capitolo 17

Palazzo Chiaramonte, 26 aprile 1902

Fu una primavera diversa quella del 1902.

L'infiorescenza dei mandorli, dei gerani, del gelsomino odoroso e delle rose precorse i tempi. All'alba del mese gentile ogni cosa sembrava essersi messa al posto giusto. Tutto aveva assunto lo stato della perfezione, dell'armonia.

C'era, tra le stradine arroccate di Ibla, nelle campagne verdeggianti, sotto i carrubi secolari, una dolcissima quiete, come se la natura stessa festeggiasse l'amore.

E per quanto Giuditta e Fortunato fossero cauti, misurando gli sguardi e centellinando le intese, la loro irrequieta felicità era un manifesto stampato sui loro sorrisi inebetiti, sulla lieta accettazione di qualsivoglia evento la vita gli mettesse innanzi.

La prima risposta a ogni domanda che veniva fatta ai due ragazzi era un sonoro sì. Sì alla vita, a quella allegria che invadeva le loro giornate. Sì alle notti insonni, al pugno nello stomaco che ti impedisce di mangiare, come se si potesse vivere di sola felicità.

Non c'era giorno o notte che il loro pensiero non fosse

allineato. Si incontravano al mattino, lui con il caffè in caldo pronto per lei, e Giuditta pettinata di tutto punto, stretta dentro le stecche di balena, con gli occhi lucidi e appagati.

Non c'era giorno in cui Fortunato non le facesse trovare un bigliettino, una cartolina, una lettera.

E tutte si aprivano con un melenso e spiazzante: «Giuditta, amore mio...»

Lei lo guardava stupita ogni volta, nascondeva il foglio tra le pieghe del vestito o dentro il bustino e si chiudeva in camera.

Non si limitava a leggerne il contenuto; lo divorava. Si portava il foglio vicino al naso per sentirne l'odore e con l'indice accarezzava la calligrafia di Fortunato, come se attraverso quel gesto potesse accarezzarne la mano, il braccio e le spalle possenti.

La cucina restava il loro regno, il luogo dove tutto aveva avuto inizio e dove tutto, continuava, indisturbato, ad avvenire.

E forse un occhio più attento avrebbe potuto scorgere l'ombra di quel sentimento. Sarebbe bastato soffermarsi sul menù e notare che, in barba ai gusti del marchese, Fortunato aveva preso a cucinare solo quello che piaceva a Giuditta.

Dentro lo stufato metteva le foglie di alloro e dentro la ricotta dei ravioli, la maggiorana tagliata finemente. Rimestava creme di cioccolata ma si rifiutava di preparare il biancomangiare adducendo, sempre, ragioni improbabili. E poi cucinava carne come se Giuditta dovesse riprendersi da una carestia.

E per quanto il marchese sbraitasse, lui subiva il rimprovero a testa bassa e ritornava sulle ricette del cuore.

Un giovedì a pranzo, piuttosto di servire il brodo con i quadrucci e il bollito, Fortunato presentò un timballo di pasta con la melenzana fritta.

Giuditta riuscì a stento a trattenere il sorriso mentre Romualdo guardava il piatto, nelle mani di Giannina, fluttuare intorno al tavolo. Lo osservò in silenzio per un po' poi esclamò: «E questo che cosa è?»

«U timballu ca mulinciana fritta», rispose prontamente Giannina che non aveva colto il tono polemico.

Romualdo cominciò a tamburellare con le dita sul tavolo, era palese che questa volta si fosse indispettito seriamente. Poi, rivolgendosi a Giannina, chiese: «Vulissi parrari cu Fortunato. Ora!»

«Ma nun vuliti manciari intanto?» domandò Giannina che avrebbe fatto qualsiasi cosa pur di evitare al ragazzo un rimprovero.

«Ho detto ora!» tuonò Romualdo.

Giannina poggiò il timballo fumante sullo sparecchia tavola e con un mezzo inchino si congedò.

Intorno al grande tavolo ovale, da sei, nella vita di tutti i giorni, erano passati a quattro. Amalia, chiusa nella sua vita matrimoniale e Ada in quella claustrale. Romualdo primeggiava ancora come unico uomo in un tempio di sole donne ma gli anni, ingrati e vorticosi, avevano lasciato tracce indelebili sulla sua pelle e sulla, ormai sopita, voglia di imporre se stesso a ogni costo.

Dalla monacazione di Ada, Romualdo sembrava cambiato. Nulla lo entusiasmava come prima e forse lo stesso nulla riusciva più a innervosirlo. Sembrava rassegnato alla noia, al lento e ineluttabile scorrere della vita.

«Oscenza mi mandò a chiamare?» chiese d'un tratto Fortunato spuntando alla sua destra.

Romualdo si voltò di scatto e lo osservò bene.

Era diventato un uomo. Quel bambino cresciuto dentro la sua cucina, accudito dal suo monsù e da donna Marianna, si era fatto adulto. Come una vertigine ripensò a quella notte, a quando tra le pieghe delle bende di lino lo aveva scoperto trovandolo maschio. Ripensò a Nìria terrorizzato e a padre Egidio che era stato costretto a battezzarlo. Pensò che era stato lui a stabilirne la sorte affidandolo a don Nicola e in questa scelta aveva rimesso in asse il destino di tre persone.

Una parte di sé, sulla scorta di un ridicolo protagonismo, avrebbe voluto che quel ragazzo sapesse.

«Il nome che porti te l'ho dato io», avrebbe voluto dirgli. Ma grazie a Dio prevalse la razionalità. Chissà cosa gli avevano raccontato i suoi genitori, quale fantasiosa storia avevano ricamato intorno a quel nome; un nome che poteva essere presagio di un bel futuro o arrogante, e dunque punibile, presunzione.

Tacque.

Tacque così a lungo da sembrare assente, avvolto in una nuvola di ricordi, sepolto dalla terra del passato.

«Oscenza... sono qui», disse piano Fortunato, come se non volesse svegliarlo.

«Oh Fortunato, eccoti. Dunque, dunque, dunque...» Romualdo aveva ripreso a tamburellare con le dita creando tutt'intorno una grande agitazione. Giuditta, rigorosamente col capo chino, cercava di sbirciare oltre la ciocca nera che era scivolata dal suo tuppo. Avvertiva una strana sensazione di paura e di gioia nel vederli vicini, nel sentire le loro voci diventare consequenziali.

Romualdo si fece attendere. Bevve un sorso d'acqua e si asciugò la bocca con il tovagliolo di lino. Tutti pensarono che stesse soppesando le parole per un aspro rimprovero, per una intransigente reprimenda. In verità aveva dimenticato il motivo che lo aveva spinto a far chiamare il ragazzo e si era concentrato sulla memoria, che, si sa, gioca brutti scherzi.

«Fortunato ti trovi bene?» domandò dopo il lungo tamburellare spiazzando tutti.

«Oscenza sì. Sono felice assai», rispose Fortunato aprendosi in un ampio e sfavillante sorriso mentre i suoi occhi cercavano di intercettare quelli di Giuditta.

«Ti piace fare il monsù?» seguitò il marchese dimentico del pranzo, del brodo che non c'era e del timballo che ne aveva preso il posto.

«È la vita mia Oscenza, l'unica cosa che so fare», rispose Fortunato facendosi serio.

«Eppure mi dicono che scrivi e leggi benissimo...»

«Fu la buonanima di mio padre, Oscenza. Voleva che studiassi ma non perché desiderasse altro per me, anzi. Lui voleva farmi diventare un monsù istruito.»

A Fortunato si riempirono gli occhi di lacrime che trattenne con una invidiabile compostezza.

Il timballo, nel frattempo, aveva smesso di spandere effluvi caldi e profumati. Giannina si andava lentamente accasciando su se stessa e Ottavia fremeva per la fame e per un serpeggiante senso di fastidio. Si aspettava una sonora strigliata, magari una battuta tagliente di quelle che suo marito non lesinava a nessuno. Invece si trovò davanti una scena ai limiti del patetico, poco consona ai ruoli e alle diverse età.

Fu lei, per l'appunto, a interrompere quella sorta di balbettante conversazione.

«Si sta freddando il pranzo, Romualdo. Se non hai altro da dire al monsù, direi che potremmo iniziare.»

Il marchese congedò Fortunato e fece cenno a Giannina di servire.

Sprofondarono tutti nel silenzio totale, rotto solo dal rumore delle stoviglie sui piatti, intriso di profumi e sapori. La salsa di pomodoro si univa al caciocavallo e la melenzana fritta sposava, in un connubio armonico, la carne macinata e la pasta porosa. Giuditta si sentì in paradiso. Per la prima volta, dopo molti giorni, riusciva a mangiare. Le sembrò di scorgere, in quell'insolito dialogo e in quel mancato rimprovero, la speranza di una futura accondiscendenza. In fondo Fortunato era uno di loro, cresciuto tra quelle vetuste mura, abituato alla vita di palazzo e conoscitore di quelle grandi o piccole bugie che si nascondono negli anfratti di ogni casa.

Non vide la realtà perché quando l'amore soffia su un cuore giovane, persino l'impossibile diventa superabile.

Finito il pranzo Giuditta scappò in cucina. Spalancò la porta e trovò solo Maruzza nascosta da una pila sudicia di piatti.

«Fortunato dov'è?» chiese sorridente.

«Scinniu no jaddinaru. Pari ca avissa trasutu na urpi…»

«Una volpe?» disse Giuditta entusiasta.

«Na urpi, na urpi… chi ci truvati di tantu bellu, signorina. Ora si mangia tutti i jaddini.»

Giuditta lasciò Maruzza ai suoi rimbrotti e corse giù in direzione del giardino. In verità non le importava nulla né delle volpi né delle galline. Aveva piuttosto accolto con gioia la notizia perché, finalmente, protetti dal recinto e dagli alberi, avrebbero potuto strappare al mondo un altro bacio.

E più pensava alle labbra di Fortunato più la sua corsa si faceva veloce. Saltò i gradini della scala secondaria, aprì le porte senza avere cura di richiuderle, passando di dammuso in dammuso, di cortile in cortile, fino al lussureggiante e colorato giardino.

Qui si fermò. Aveva il respiro corto, affannato, forse dovuto alla corsa o forse all'emozione. Raccolse una rosa bianca, si curò di toglierle le spine e la infilò tra i capelli. Si morse le labbra per regalargli un colore vermiglio, infuocato come il suo cuore. Provò a sistemare il vestito che si era stropicciato e si fermò, con le mani incrociate sul petto, dietro la porta del pollaio. E mentre il suo cuore batteva, impazzito, come il tamburo della banda, Fortunato lottava con una volpe astuta. Giuditta entrò e ciò che vide la fece scoppiare in una fragorosa risata: l'uomo che avrebbe dovuto baciare era completamente coperto di piume, con il grembiule sporco di sterco e fango e circondato da galline svolazzanti e impaurite. Giuditta lo conosceva bene e sapeva che quello a essere davvero impaurito era proprio lui.

«Come pensi di mandarla via questa volpe se non apri la porta?»

«Ma se apro la porta andranno via anche le galline», rispose Fortunato esausto.

«Dovremmo uccidere la volpe», sentenziò seria Giuditta.

Fortunato la guardò turbato e rispose: «Non se ne parla. Sai che non mi piacciono queste cose…»

«E allora…» e mentre lo diceva si avvicinava con passo femmineo, «lascia che la volpe faccia quello che deve fare e baciami.»

Furono ancora una volta così vicini da percepire il battito delle ciglia come un tumultuoso turbinio.

Giuditta tolse dai capelli di Fortunato tre piume di gallina e lui provò a posarle, impacciato, le mani sui fianchi morbidi.

Restarono a guardarsi, occhi dentro gli occhi, cuore dentro l'anima.

«Papà ti vuole bene… vedrai che alla fine ci perdonerà», disse lei mentre gli faceva scivolare l'indice sugli zigomi.

Fortunato annuì, mentre un brivido, una incontrollabile angoscia, gli percorreva la schiena. Dovette avvicinarsi ancora un po' e sciogliere dentro le labbra rosse di Giuditta la vertigine della paura.

Capitolo 18

Poggiogrosso, 12 agosto 1902

L'estate, quell'anno, fu torrida. Bruciavano le sterpaglie addossate ai muretti a secco, bruciava il sole di mezzogiorno e bruciavano le notti senza un filo d'aria. Bruciavano le ringhiere di ghisa sui balconi, il basolato incandescente del cortile e le colonnine di pietra del terrazzo. Perfino le lucertole avevano smesso di girovagare indisturbate, rintanate in chissà quale anfratto, alla ricerca di un po' di fresco. La villeggiatura dentro la casina di Poggiogrosso era diventata una penitenza. Le mura, che per anni e anni avevano mantenuto quella tanto decantata «aria di paradiso», nell'agosto del 1902 si erano trasformate in stufe, camini sempre accesi, pronti a restituire di notte l'intera calura che avevano trattenuto di giorno.

Le donne vagavano per casa, accasciandosi di volta in volta sui divani lisi.

Gli uomini, invece, per mantenere fede alla loro presunta e superiore resistenza fisica, fingevano disinteressate gite a cavallo, al fine di trovare conforto sotto la folta chioma dei carrubi.

Il povero padre Egidio, vincolato alla sacra tonaca e

alle mura domestiche, emanava un olezzo nauseabondo. Perfino il suo breviario si era imbibito dell'acre effluvio di quel sudore acido.

Vi era una smania condivisa, una fiacchezza perenne, un costante lamentìo che aveva la stessa serrata cadenza di un rosario.

E in questa irrequietezza stanca si celava la trepidazione dei due ragazzi. Anche loro bruciavano ma, in quella effimera condizione nella quale, come fiori d'acqua, fluttuavano, la loro calura era riconducibile solo a un fuoco interno, una fiamma che sembrava divorare anima e pensieri. Per il resto pareva che fossero liberi dalle percezioni di malessere e disagio.

Non accusavano stanchezza, non lamentavano tristezze. Sembravano imperturbabili, come se avessero abbandonato la loro condizione umana per naufragare, inconsapevoli, nel vorticoso sentimento eterno.

Fortunato passava ore e ore chiuso in cucina e sfoggiava sempre il suo sorriso migliore. Sentiva di avere tutto il mondo in una mano. E quando, dentro quel luogo che era lavoro ma allo stesso tempo felicità, entrava Giuditta, credeva di impazzire dalla gioia.

Erano capaci, quelle due anime pure, di restare a guardarsi per ore e di arrossire, a vicenda, sulla spinta infantile di un sorriso, di una mano sfiorata, di una carezza rubata.

Avevano trovato, nel primo pomeriggio asfissiante e lungo, uno spiraglio di vita tutto per loro.

Dalle tre alle cinque, Poggiogrosso diventava un luogo spettrale. Sazi e provati dal caldo, tutti, nessuno escluso, si andavano a rintanare nelle proprie stanze.

E in quel momento, come due ladri, Fortunato e Giuditta sgattaiolavano fuori casa per incontrarsi. Era un momento magico. E quella fuga, quel passo felpato e guardingo e quel nodo alla gola contribuivano a rendere quel momento il più intenso dell'intera giornata. L'unico per cui sarebbe valsa la pena vivere.

Si incontravano nel dammuso delle botti perché lì, qualora fosse entrato qualcuno, avrebbero trovato riparo. Le botti erano immense e collocate in file regolarmente distanziate. Al primo rumore sospetto avrebbero potuto separarsi e nascondersi senza il rischio di essere scoperti.

Bisognava solo fare attenzione ad aprire il portone mastodontico e cigolante per evitare che don Nele, il massaro, o don Vastiano, potessero sentire quel gracchiante rumore di legno fradicio.

Il pomeriggio del 12 agosto, alle tre in punto, Fortunato andò verso la cantina. Aprì il portone, voltandosi a destra e sinistra per controllare che nessun occhio indiscreto lo avesse notato, e si andò a sedere accanto alla botte numero sei. La mattina aveva lasciato un bigliettino sotto la tazza del caffè di Giuditta con su scritto: «Ci vediamo alla numero sei, che è la più bella, come te».

Giuditta quel pomeriggio si fece attendere e più i minuti si accavallavano più in Fortunato saliva l'ansia, come una mano stretta sulla gola, come un pugno piantato lì, sulla bocca dello stomaco.

Girava intorno alla botte come un leone in gabbia, contando le doghe incurvate, avvolto dal profumo inebriante del vino, che negli anni aveva impregnato ogni cosa.

Quando finalmente il portone si spalancò e lui riuscì a

distinguere la figura snella di Giuditta, le si gettò addosso, abbracciandola forte, come se in quella attesa avesse maturato la consapevolezza dell'immenso dolore di perderla.

«Scusami Fofò», disse lei fra le sue braccia, «ho fatto tardi ma Rosalia non mi lasciava andare.»

«Che importa, adesso sei qui…»

«Ho una bella notizia», disse lei guardandolo negli occhi. «Rosalia si sposa.»

«Sono felice per lei…» biascicò Fortunato mentre continuava a baciarle ogni centimetro del viso.

«Lui è il figlio del notaio Arestia, si chiama Pietro. Lo conosciamo poco perché ha studiato a Palermo ma adesso che si è laureato tornerà a Ibla per entrare nello studio del padre. Ha parlato ieri mattina con nostro padre e lui ne è sembrato soddisfatto.»

«E Rosalia? Lei è soddisfatta?» domandò Fortunato sciogliendosi improvvisamente da quell'abbraccio.

Giuditta lo guardò stranita, provò a sfoggiare un sorriso conciliante e riprese: «Certo che sì. Era entusiasta, non faceva altro che parlare del fidanzamento, del vestito da sposa, dell'organizzazione del matrimonio. Sai come è fatta lei… non sogna altro da tutta la vita».

«Già…» fece Fortunato incurvando le labbra in una smorfia di tristezza.

«Che c'è? Che ho detto?» replicò Giuditta alzandogli il mento.

Fortunato la guardò dritto negli occhi e gli sembrò di vedere un cielo notturno, profondo e irraggiungibile. Le baciò la fronte e prese le mani della ragazza tra le sue: «Io non sono altro che quello che vedi: un monsù. Non ho nulla da offrirti. Non ho un titolo nobiliare né un lavoro che possa garantirti la vita che meriti di fare. Non ho un padre alle spalle che possa parlare per me né la forza di portarti via. Tu sei felice in questo posto, con la tua famiglia, con le tue certezze e io non ti farei mai del male, mai. Io voglio solo renderti felice, null'altro! E se questo dovesse significare allontanarmi, allora, Giuditta mia, lo farò».

Una petulante lacrima tremava dentro il profondissimo buio degli occhi di Giuditta.

«Ma cosa stai dicendo? Questo posto ha senso se ci sei tu, questa casa esiste solo se vissuta con te. Come fai a non capire? È te che voglio. Qualsiasi cosa questo dovesse costarmi…»

Giuditta aveva preso il viso di Fortunato tra le sue mani.

Tremavano entrambi. Lei per l'emozione, lui per la paura. Si guardarono relegando a quello sguardo tutte le parole che avrebbero voluto dirsi nei giorni, nei mesi e negli anni che avevano trascorso insieme. Fu Giuditta a rompere quel silenzio nel quale, di contro, Fortunato avrebbe voluto restare per sempre.

«Io ti amo», sussurrò lei senza abbassare gli occhi, «ti amerò per sempre. E se questo dovesse significare seguirti e stare con te dentro le cucine degli altri, lo farò. Farò ogni cosa pur di averti accanto. Non riesco a immaginarla la mia vita senza te.»

Furono finalmente lacrime, covate e trattenute per troppo tempo.

Quella promessa d'amore eterno, giurato tra le mendaci botti di vino, si sciolse in un bacio violento che ben presto seppe di sale e di passione. Le mani scivolarono piano tra le pieghe del vestito di taffettà di seta e si intrufolarono sotto la camicia di lino grezzo.

Sembrava che quella dannata calura si fosse impadronita della loro ragione, del loro cuore e dei loro istinti. Intorno a quel bacio, una specie di danza tribale, li incitava ad andare avanti, a vivere quel momento, senza lo spettro punitivo di una condanna. E nell'istante esatto in cui Fortunato aveva chiuso gli occhi, vinto dalla irresistibile tentazione della carne, un rumore, plumbeo e secco, aveva risuonato per tutto il dammuso.

Fortunato si scostò di colpo. Sgranò gli occhi e con l'indice piantato davanti alle labbra fece cenno a Giuditta di tacere.

Lei provò a sistemare i capelli arruffati e si nascose dietro la botte numero otto.

«Cu c'è? Cu è ca s'ammuccia?» gridò una voce rauca.

Fortunato trasse un respiro profondo, provò a darsi coraggio e uscì.

«Sugnu io, don Nanè, Fortunato.»

«Ah Fortunato si tu… e chi ci fai astura ca rintra?» chiese il vecchio massaro, con quella avida punta di curiosità.

«Havia pigghiari na buttigghia di vino vecchio pi stasira», rispose Fortunato, mostrando una certa sicumera.

«Avanti forza… senza perdere tempu assai», incalzo don Nanè battendo le mani tra loro. «Alliestiti cussì mprincamu tutti così.»

«Nun vi preoccupati… ci piensu io», disse il ragazzo.

Il massaro lo guardò incerto. Ogni ruga dentro quel viso avvizzito parlava chiaro. Chissà quanta vita si era visto scivolare davanti e quante bugie avrebbe saputo distinguere dalla verità. E forse furono proprio quelle rughe a farlo desistere dal chiedere oltre.

Si girò, appoggiato al suo ramo d'ulivo usato a mo' di bastone, e si allontanò borbottando.

Quando il portone tuonò nuovamente, dopo essere stato richiuso, Fortunato si diresse spedito alla botte numero otto.

«Secondo te ci ha scoperto?» chiese subito Giuditta.

«No. Non credo proprio. È molto vecchio e non vede più bene. Avrà sentito dei rumori e si sarà insospettito… stai tranquilla.»

Giuditta lo abbracciò forte. «Ho avuto paura», disse guardandolo negli occhi con la stessa civettuola intensità di prima, poi gli si avvicinò e fece scivolare la sua mano tra i capelli morbidi di Fofò. E quando la sua mano, dopo aver percorso il viso, arrivò fino al petto, Fortunato si allontanò.

«Non possiamo Giuditta», disse lui con la testa bassa.

«Ma…» provò a ribattere lei.

«Dio solo sa quanto vorrei ma non posso permetterlo. Tu sei la cosa più bella e più sacra che ho. Non ti farei mai una cosa del genere.»

«Allora sposami, Fofò», disse lei sfrontata, con un sorriso utile solo a fermare una irrefrenabile voglia di piangere.

Fortunato tornò a stringerla, così forte da temere di soffocarla. E mentre la stringeva disse: «Sarai l'unica donna della mia vita».

Giuditta lo guardò incantata. «Giuramelo…» sussurrò.

«Te lo giuro», rispose lui. «Maria Santissima.»

Capitolo 19

Poggiogrosso, 13 agosto 1902

Ci sono giornate che preludono a infausti eventi. E non è questione di tempo e neanche di inutili superstizioni. Non c'entra nulla un cielo grigio né tantomeno un gatto nero che attraversa la strada o una damigiana d'olio rovesciata per terra. Certe giornate sono funeste nell'aria e persino una iridescente giornata di sole non ha alcun potere su di esse. Vi è qualcosa di evanescente e a tratti quasi tangibile, qualcosa che soffia dentro il cuore come una premonizione, che vorrebbe strapparti al destino per poi consegnarti, crudele, alla sua ineluttabilità che, sovente, gioca d'azzardo con la vita degli innocenti.

Giuditta si svegliò all'alba del 13 agosto con un nodo alla gola. Si alzò, bevve un sorso d'acqua e guardò oltre le persiane socchiuse. L'alba, come un lenzuolo di lino, si era posata su ogni cosa esaltandone forme e contorni. Vi era, tutto intorno, una luce inebriante che annunciava il sole. Nessuna nuvola, nessuna scia oscurava quel cielo azzurrato. Si appoggiò alla finestra aperta e pensò a Fortunato. E più lo pensava più sentiva una stretta al cuore, una paura irrazionale avvinghiarle i polsi e le caviglie e trascinarla giù.

Provò a smorzare i pensieri guardando Oreste, il cane di don Nanè, che dormiva serafico al centro del cortile, e si rimise a letto, attribuendo alla cena la responsabilità di quella smania.

Quando i suoi occhi si riaprirono era giorno fatto. I raggi del sole avevano sfiorato il suo letto, segno che si erano fatte le nove passate.

Giuditta si alzò con fatica, sentì la testa pesante come quella volta in cui da bambina l'aveva sbattuta contro il tavolo della sala da pranzo e tutta la notte sua madre e Maruzza l'avevano tenuta sveglia a suon di canzonette. Sentì il violento impulso di vomitare, si appoggiò ai pomi di ottone del letto e respirò. Aspettò che quel malessere passasse e uscì dalla stanza.

Poggiogrosso era avvolta da un perverso silenzio. Giuditta attraversò stanze insolitamente deserte e cupe. Sentì dei passi e vide, distintamente, Rosalia intrufolarsi nella sua stanza senza neanche l'accenno di un buongiorno. Accelerò, dirigendosi in cucina, e spalancò la porta. Si girò a destra e a sinistra, entrò nel ripostiglio e si arrampicò nel sottotetto dove venivano conservati i caci. Ridiscese e guardò il tavolo e non trovò il suo caffè, né la tazzina pronta. C'era il grembiule di Fortunato appeso ai pomelli di rame delle fornacelle e i suoi quaderni, abbandonati lì, agonizzanti.

Ebbe paura. Sentì una fitta e poi ancora un conato violento di vomito. Si sedette in attesa di riacquistare le forze e in quel preciso istante entrò Maruzza.

«Dov'è Fortunato?» disse Giuditta alzandosi di scatto.

Maruzza la guardò stordita, come si guarda un fantasma, un'anima che sbuca dall'aldilà.

Indietreggiò mentre diceva: «Nenti sacciu, signurina. E nenti vuogghiu sapiri».

«Che significa?» domandò Giuditta. «Che cosa vuoi dire. Parla, dov'è Fofò?»

Maruzza si mise le mani sulla faccia e, scuotendo il capo, scappò via.

Giuditta rimase stordita, con il respiro che si faceva sempre più corto e con una matassa inestricabile di pensieri a invaderle la mente.

Uscì dalla cucina come tramortita e, mentre vagava tra le stanze silenziose di quel maniero sempre in festa, si sentì afferrare il braccio da dietro. Si voltò e vide Giannina. Aveva uno sguardo triste e accondiscendente.

«Vi sta circannu vostro padre…» disse mollando lentamente la presa.

«Cerca me?» chiese Giuditta incredula, barcollante sopra una zattera che sta per affondare.

«Sì signurina. A viautri sta circannu.»

Giuditta e Giannina si guardarono come il boia e l'impiccato. Entrambe conoscevano i loro ruoli e nessuna delle due li avrebbe voluti rispettare.

Giuditta annuì e la cameriera provò a sorriderle, sebbene in quella smorfia c'era più dolore che gioia.

La porta dello studio di Romualdo pareva immensa, una rocca inespugnabile.

Giuditta bussò due colpi sordi: sembravano campane a morto. Poi entrò.

Che brutti scherzi gioca il destino…

La stanza era invasa da una luce accecante. Il balcone

dietro le spalle di Romualdo rendeva la figura del marchese sfocata, avvolta da una brillantezza che aveva i tratti della santità. Minuscoli granelli di polvere colorata danzavano dentro il cono di luce che lo trafiggeva, come un san Sebastiano martire.

Romualdo la guardò intensamente, lei abbassò la testa e pregò Dio di farla sprofondare nell'abisso.

«Siediti», disse lui fingendo calma.

Giuditta si avvicinò alla sedia e si sedette sull'angolo, come a tenersi pronta per una fuga.

Romualdo poggiò i gomiti sulla scrivania, incrociò le mani e deglutì due volte.

«La colpa è stata mia Giuditta e di questo ti chiedo scusa», principiò lui spiazzando del tutto la ragazza che, alzando gli occhi da terra, lo guardava stupita.

«Non ho prestato attenzione alle voci che circolavano, alle battute che arrivavano alle mie orecchie. Non ho dato retta a tua madre quando diceva che la tua permanenza in cucina era disdicevole né a quello scimunito di mio fratello…»

Romualdo parlava a fatica. Si fermò, bevve un sorso d'acqua e proseguì.

«Non mi sfiorava neanche il pensiero di una cosa del genere, una cosa così stolta, così folle. Giuditta Chiaramonte con il monsù», e mentre lo diceva, con una forza impensabile, piantò il tagliacarte d'argento al centro della scrivania.

Giuditta sgranò gli occhi terrorizzata e fissò quello stiletto luccicante che vibrava, conficcato dentro l'ebano lucido.

«Non hai forse contezza di chi sei? Volevi stare tutta la vita a fari a criata di qualcuno? A chiamare Oscenza di qua, Oscenza di là?» e più andava avanti nel discorso più i toni si facevano alti e i suoi occhi si coloravano di rosso e le sue mani, vistosamente, tremavano.

«Cosa ti è venuto in mente? Che vita avresti voluto fare... con la gente che ti dileggiava e con tutta la tua famiglia in pasto al pettegolezzo e alla vergogna...»

Giuditta restava nascosta dietro una coltre di silenzio. Ogni tanto alzava gli occhi e incrociava quelli di suo padre. C'era rabbia in quello sguardo ma anche uno straziante dolore, una profondissima delusione.

«Da quanto va avanti?» disse lui dopo aver respirato a lungo, come se il suo cuore non potesse reggere oltre.

Giuditta voleva rispondere, ma le corde vocali sembravano recise e la sua bocca era un impasto secco di paura e terrore.

«Parla santo Iddio! Parla!» gridò Romualdo.

«Pochi mesi», rispose lei con un filo di voce.

Romualdo tacque. Parve quasi sollevato, come se quel «pochi mesi» potessero lavare una colpa immensa.

Sembrò calmarsi poi si toccò le tempie come a strizzarle e disse: «Stiamo calmi. Non è successo nulla di irreparabile, giusto Giuditta?»

Lei annuì calando testa tre volte.

«Nessuno saprà nulla», continuò lui mentre il sudore gli imperlava la fronte. «Manterremo un assoluto riserbo sulla faccenda e il tempo lenirà ogni cosa.»

«Cosa gli avete fatto?» chiese all'improvviso Giuditta con una voce ritrovata e ferma.

«Ti sembro un assassino io? Un delinquente, un farabutto?» ribatté il marchese.

«Voglio sapere cosa gli avete fatto e perché non è qui», continuò Giuditta con una agghiacciante freddezza.

«L'ho mandato via. Lontano da qui, lontano da te. Ho provveduto a tutto, non gli mancherà nulla ma non dovrà mai più tornare.»

Giuditta si sentì mancare il respiro. Sentiva le lacrime sgorgare ma provò a trattenerle.

«E sua madre?» chiese implorante. «Non pensate a quella povera donna?»

«Non posso curarmi di tutti. Non è mio il peso del mondo, non sono io il responsabile di ogni cosa. Chi sugnu un crasto io?» gridò lui paonazzo.

C'è un momento imprecisato in cui una goccia fa traboccare un vaso e una piuma sovverte l'equilibrio di una struttura. E quello fu lo stesso imprecisato momento in cui la valanga di lacrime trattenute dentro le labbra morse per troppo tempo si lasciò andare come il cielo di novembre dopo un fragoroso tuono.

Giuditta era tornata bambina. Singhiozzava senza ritegno, tirando su con il naso e balbettando parole confuse.

E presa dal sacro furore della giustizia e della verità, pronunciò quello che non avrebbe mai dovuto dire.

«Io lo amo…»

Quando il canonico LoPresti aveva letto, un giorno, l'Apocalisse di san Giovanni, Giuditta l'aveva immaginata come un evento lontano. Non avrebbe mai pensato di viverlo sulla sua pelle.

Le sembrò di sentire il suono delle trombe dei sette angeli. E mentre volavano dalla scrivania fogli, calamaio, libro e tagliacarte, lei pensò che a una a una sarebbero cadute le stelle dal cielo e che la luna e il sole avrebbero perso un terzo della loro luce. E quando Romualdo gridò: «Sei una stupida, una scimunita, tu non ami nessuno!» a lei parve che il quinto angelo stesse suonando la sua tromba e che una miriade di cavallette e di cavalli con la coda simile a serpenti stessero entrando dentro la stanza.

«Pazza!» continuava come una furia il marchese. «Sei una pazza. Tu non sai cosa stai dicendo, non sai quanto è grave quello che stai facendo!»

Giuditta sentiva la testa ovattata, le parole di suo padre arrivarle lontane, come il suono delle trombe e lo scalpitare dei cavalli dalle cui bocche uscivano fiamme di fuoco, zolfo e fumo denso. Non c'era più luce intorno a lei e le parve di udire voci confuse «Sodoma, Gomorra, candelabri infuocati» e poi ancora «Péntiti, péntiti, péntiti…» fino a «Non lo vedrai mai più!»

Forse l'angelo aveva suonato la settima tromba. Forse il mondo finiva lì. O forse finiva semplicemente lei.

Le vennero in soccorso i sensi facendo l'unica cosa giusta da fare: cedere.

Quando, dopo molte ore, si svegliò, trovò al suo capezzale Amalia. Le sorrideva mentre con una pezza fredda le tamponava la fronte. Sull'uscio, invece, intravide sua madre che parlava con il dottor Galfo. Bisbigliavano ma lei udì tutto perfettamente.

«Diceva cose confuse, strane. Parlava di Dio, di un libro aperto, dei cavalli che sputavano fuoco e zolfo e poi delle cavallette, degli angeli e delle trombe. Dutturi, sono preoccupata assai. Nun criru ca sta nisciennu pazza?»

Ottavia sembrava preoccupata, sinceramente e per la prima volta.

Il dottor Galfo, allampanato e triste, chiese: «Ha preso troppo sole?»

«Chi sacciu…» rispose scuotendo la testa la marchesa.

«Non sottovalutiamo l'aspetto religioso. Sovente questo, se portato alle sue massime esasperazioni, può diventare superstizione.»

Ottavia annuì e lo congedò.

Giuditta tornò a guardare Amalia che continuava a bagnare pezze nell'acqua fredda e a tamponarle le tempie.

«Amalia…» disse Giuditta a fatica.

«Shhhh», fece lei accarezzandole il viso. «risolviamo tutto. Non è la fine del mondo.»

Capitolo 20

Sdraiata sul suo letto di rame, sormontato alle estremità da quattro palle di opale azzurro, Giuditta guardava imbambolata il soffitto.

Era una volta bianca sui cui lati troneggiavano ghirlande di fiori gialli e rosa e, al cui centro, sonnecchiava Morfeo, appoggiato a un masso di un marrone stridente.

Guardava quell'affresco dal giorno in cui suo padre aveva fatto preparare ogni cosa e aveva imposto il ritorno forzato e subitaneo a Ibla.

Da quel primo settembre, varcando la porta di una casa che troppo aveva visto della sua felicità, decise di non uscire più dalla sua stanza. Giannina le portava la colazione, il pranzo e la cena. E lei spiluccava, come un uccellino morente, sparpagliando il cibo sul piatto e sorseggiando lacrime. Poco le interessavano i preparativi del matrimonio di Rosalia. Ogni tanto si limitava a sorridere più per compiacere la felicità della sorella che per un sincero moto dell'anima. Qualsiasi gesto, qualsiasi parola, stanza o raggio di sole le facevano tornare alla memoria Fortunato. Non c'era giorno che il buon Dio mandasse in terra, che il suo pensiero non fosse rivolto a quel ragazzo diafano e biondo. E più ci pensava, più le domande si facevano incessanti e violente.

Dove era stato mandato? E cosa gli avevano fatto? Soffriva? Lavorava? Riusciva a pensarla? Si disperava come lei, immobile a guardare il nulla sperando che quel nulla diventasse carne?

E fra tutte, una domanda le toglieva il sonno: perché non scriveva? Lui avrebbe saputo come far arrivare un segno della sua esistenza, della sua presenza. Avrebbe trovato il modo, lui che sapeva manovrare le parole più dei mestoli, il garbo più delle padelle e la persuasione più della farina.

Così, quando questo pensiero le invadeva le membra e scorreva nel sangue, percorrendo tutto il corpo e ritornando al cuore, si alzava dal letto e usciva dalla sua stanza. Camminava lungo il corridoio sepolto dai quadri e come una sonnambula si dirigeva in cucina. Entrava piano, trascinandosi dietro un silenzio opprimente, e si fermava davanti al forno. Guardava quella bocca nera con avidità, come se da quella caverna potessero uscire le risposte alle sue estenuanti domande, per poi ritirarsi ancora nella sua stanza, che, nel frattempo, era diventata una prigione.

L'unico momento della giornata che valeva la pena vivere era il pomeriggio. Alle tre in punto, con il sole o con la pioggia, con la noia o con l'allegria, arrivava Amalia.

Si sedeva sulla poltrona accanto al suo letto e parlava. Parlava di tutto e di niente e lo faceva per riempire lo spazio vuoto, il mutismo ostinato, lo sguardo assente. Parlava di Mario e delle loro abitudini, dei libri letti e delle tovaglie ricamate al tombolo. Commentava l'operato di certe cameriere, delle sartine nuove del paese e delle rose del suo giardino. Cercava, come poteva, di distrarla, di condurla per mano verso la rinascita. E quando, esausta da quel continuo e solitario parlare, tornava a casa, Giuditta la fermava sull'uscio e sussurrava: «Grazie».

Un giorno, mentre Amalia stendeva sul letto un magnifico centrotavola che aveva ricamato, Giuditta le chiese: «Tu lo sai dov'è?»

Prima di allora non avevano osato affrontare l'argomento. Fortunato era diventato un fuoco divampante, una fiamma incandescente intorno alla quale si poteva solo girare senza avvicinarsi troppo.

«Non lo ha detto a nessuno. Teme, e forse ha ragione, che qualcuno di noi vedendoti così afflitta, potrebbe rivelarlo.» Amalia era stata sincera. Non aveva usato fronzoli, nessun giro di parole. A una risposta chiara aveva riservato la stessa, cruda, chiarezza.

Giuditta aveva abbassato la testa in segno di assenso ed era ritornata nel suo mondo: una sfera di cristallo tappezzata dai ricordi e satura solo di silenzio.

Fu la mattina del 14 ottobre a sovvertire l'ordine lento nel quale la vita, come un treno stanco sulle solite rotaie, aveva preso a camminare.

Giannina entrò in camera con uno sguardo luminoso. Ostentava un sorriso a chiazze, per via dei denti abbandonati strada facendo, che parve a Giuditta irritante.

Sorreggeva un vassoio di Sheffield che a sua volta portava in dono una tazza di latte, una tazzina di caffè, tre biscotti ricci e una rosa.

Lo poggiò sullo scrittoio e aggiunse: «Putiti fari chidu ca vuliti... ma io stamatina manciassi...»

Giuditta le avrebbe voluto tirare dietro un cuscino mentre la cameriera, baldanzosa, usciva dalla stanza con quella sprezzante e ingiusta felicità.

Restò a braccia conserte, come un bambino dopo un capriccio, seduta a metà letto.

E quando l'odore del caffè le arrivò dritto alle narici, fino a risalirle e toccare gli sconosciuti angoli del cervello che spalancano le porte ai ricordi, con un moto di rabbia si alzò con l'intento di scaraventare il caffè contro quel maledetto specchio che rimandava solo l'afflitta immagine di lei. Si avvicinò allo scrittoio, prese la tazzina con foga e, prima che le volasse dalle mani, si accorse che un foglietto di carta faceva spessore sotto il piattino.

Sentì una fitta al cuore. È incredibile come la mente riesca a ricollegare una serie di avvenimenti in una frazione di secondo.

La rosa, il sorriso sdentato di Giannina e il suo premuroso consiglio di non disertare la colazione. Tutto faceva quadrato intorno a quel fogliettino sapientemente ripiegato su se stesso.

Lo prese con cura e senza neanche leggerlo lo nascose tra le pieghe del seno. Si sincerò di avere chiuso la porta con tre giri di chiave e si sedette sul letto.

Quando il foglietto le si spalancò innanzi come un lenzuolo macchiato di inchiostro, un tuffo al cuore le fece capire di essere ancora viva.

Riconobbe la calligrafia e, prima ancora di seguitare con la lettura, si portò la lettera al petto e pianse. Pianse di gioia e di felicità, di rabbia e di amore, di paura e di dolore. Poi respirò, a lungo e senza fretta, e lesse: «Giuditta, amore mio, non mi sono dimenticato di te, di noi. E se ti conosco, come presuntuosamente so di conoscerti, vedo nei tuoi occhi lucidi che sei in collera con me».

Giuditta sorrise, come se Fortunato la stesse guardando davvero.

«Ho aspettato il momento opportuno per far sì che le acque si calmassero e per non generare alcun sospetto nel barone Beneventano, nella casa del quale mi trovo a servizio qui a Palermo.»

Palermo? Una stretta allo stomaco aveva fatto strabuzzare gli occhi a Giuditta. Nella sua limitata immaginazione pensava che quella città fosse ai confini del mondo, irraggiungibile e dissoluta. Una biblica Sodoma di Sicilia.

Una impercettibile gelosia le oscurò la vista. Poi riprese a leggere.

«Sono arrivato dopo due giorni di treno. Un viaggio lungo e stancante, reso impossibile dal pensiero di te, della tua sofferenza e della nostra lontananza.

Mi svegliò la mattina alle quattro don Vastiano, fu gentile ma altrettanto risoluto. Mi disse che don Nanè aveva fatto la spia, dicendo tutto a lui e al marchese. Mi disse pure che tuo padre non voleva farmi nulla, anzi. Con mia grande sorpresa mi consegnò moltissimo denaro e una lettera di referenze che avrei dovuto dare personalmente al barone Beneventano, appena giunto a Palermo.

Fu lui stesso, don Vastiano, ad accompagnarmi alla stazione di Ibla.

Uscendo dal cortile di Poggiogrosso ho guardato la tua

finestra; avrei dato l'anima e tutto il mio corpo per vederti ancora una volta, per dirti che se mi ami, così come mi hai detto, io tornerò da te; dovesse essere l'ultima cosa che faccio.

E questi giorni, Giuditta mia, sono stati un inferno. Non c'è stato un solo istante che io non ti abbia avuta nei miei pensieri. Ogni piatto cucinato, ogni ricetta ripetuta, è stata fonte di gioia ma anche di straziante dolore. E se da un lato il ricordo di ciò che siamo stati mi tiene vivo, dall'altro il pensiero di non averti più ogni giorno al mio fianco mi uccide.

Non ho avuto tempo di salutare mia madre, don Vastiano mi promise di parlarle senza causarle paure o mortificazioni. Ti prego di salutarmela, di baciarle la fronte come fossi io e di dirle che presto tornerò.»

Finalmente Giuditta leggeva quello che avrebbe voluto «...presto tornerò» ed era come se a sussurrarlo fosse la voce di Fortunato, dolce, suadente. «...presto tornerò.»

Sospirò felice e tornò a leggere.

E adesso dimmi di te...
Sono certo che non stai mangiando, che abbracci te stessa e sfoggi il broncio mentre i tuoi occhi si riempiono di lacrime e il tuo cuore trema.
Sarai chiusa in camera, in un silenzio assordante, accettando solo le visite di Amalia che riempirà la mia assenza con le sue parole.
E non vorrai guardare tuo padre. Lo starai odiando, come per un attimo ho fatto anch'io.
Ebbene, amore mio, lasciati dire che sbagli.

Lui non ha fatto altro che il suo dovere; quello che forse, al posto suo, avremmo fatto anche noi.

Ho pensato molto in questi giorni e ho capito che l'unica persona autorizzata a decidere del nostro futuro sei tu. Qualsiasi sia la tua scelta io sarò al tuo fianco.

Sappi solo che sono disposto a tornare, con i miei stracci e le mie ricette, e a mendicare tutta la vita o metterla perfino a repentaglio, pur di averti con me.

Ti scrivo l'indirizzo al quale potrai scrivermi: è sicuro perché è quello del ragazzo che porta la spesa con il quale abbiamo stretto amicizia.

E adesso chiudi gli occhi, lascia che io ti baci le guance, i capelli morbidi e le labbra tremule. Lasciati accarezzare il collo sottile e appoggiati qui, sulle mie spalle ancora forti che per te sorreggerebbero il mondo.

Per sempre tuo, Fofò

Dopo lunghi e dolorosi giorni, dopo ore accavallate al tempo e tempo immobile sulle ore, Giuditta aveva ripreso a sperare.

Una ventata inebriante di entusiasmo sembrò scompigliarle i capelli, come fa il destino con la vita. Aprì la porta e uscì dalla sua stanza. Aveva un passo certo, sicuro e a tratti sfrontato.

Parlò con tutti, salutò sua madre attonita e sfiorò la mano a Giannina, regalandole uno sguardo d'intesa.

Aspettò, con pazienza, che si facesse l'ora di pranzo e si presentò a tavola, come se nulla fosse successo, come se quel mese fosse stato un'ora, un battito di ciglia.

Quando irruppe nella sala da pranzo, con baldanzosa spocchia, cercò lo sguardo di Romualdo.

Lui, imbarazzato e sollevato al contempo, lo abbassò. Lei invece lo sostenne decisa.

Perché si sa, l'amore rende invincibili e, talvolta, inutilmente arroganti.

Capitolo 21

Palazzo Chiaramonte, 14 dicembre 1902

La mattina del matrimonio di Rosalia, Palazzo Chiaramonte sembrava ritornato quello di una volta.

Dopo quei lunghi mesi di silenzi, sguardi brucianti e parole lasciate a metà, almeno per quella mattina si era, tacitamente, firmata una tregua.

Ognuno, impettito nel proprio abito da cerimonia e sfoggiando un ipocrita entusiasmo, avrebbe fatto la sua parte. Romualdo avrebbe accompagnato Rosalia all'altare, l'avrebbe affidata al novello notaro e avrebbe preso posto accanto a sua moglie.

Amalia avrebbe sfilato al braccio di Mario e Giuditta, ultima e sola, sarebbe rimasta un passo indietro con un inutile posto in prima fila.

Il marchese tentò invano di convincere la Madre Superiora a far partecipare anche Ada, ma da dietro le grate tuonò che la clausura è un impegno che va rispettato nella gioia e nel dolore.

Quel 14 dicembre tutto andò secondo i piani.

Nulla di paragonabile alla felicità e all'entusiasmo che aveva invaso la casa per il matrimonio di Amalia, ma si sa, le prime gioie rischiano sempre di offuscare le seconde e di rendere tutto tremendamente simile a se stesso.

Fatto sta che nessuno pianse, né di commozione né di dolore. E nessuno rise al punto da dichiararsi felice; ammesso che la felicità possa essere dichiarata, poiché, nel momento stesso in cui la si percepisce, sovente, la si perde.

Vi era, però, nell'aria una inquietudine sospesa poiché quella tregua era solo un patto firmato con le lacrime e con il sangue che nulla aveva a che vedere con la pace.

Romualdo accompagnò Rosalia trascinandosi gli anni che di colpo avevano deciso di palesarsi nei suoi capelli bianchi e nelle sue spalle curve.

Giuditta lo osservò con avida curiosità. Sentiva, come il fruscio di un serpente tra le sterpaglie d'agosto, che suo padre si nascondeva al suo sguardo, rifuggiva ogni possibilità di incontro e invecchiava, minuto dopo minuto, non come si invecchia secondo natura, ma come lo si fa quando il peso enorme di qualcosa ti schiaccia.

E mentre avanzava, a fatica, un passo dietro l'altro facendo finta di condurre la figlia, Giuditta ripensò a quando il canonico LoPresti le raccontava la storia di Colapesce, l'uomo che aveva sacrificato la vita per reggere, sulle sue spalle, la Sicilia.

«...quando riemerse dalle acque disse al re, che lo aspettava sulla barca, che lì sotto, nel fondo degli abissi, una delle tre colonne che reggeva la Sicilia stava crollando.

Non c'era tempo da perdere, ogni minuto sarebbe stato fatale», recitava il canonico con l'enfasi di chi crede in quello che dice, «e così si rituffò...»

Giuditta sorrise ripensandosi bambina, con gli occhi sgranati e la bocca aperta.

«E poi?» domandava lei trepidante.

«Non riemerse mai più. Ancora oggi regge il carico di questa terra. E piaccia a Dio che Colapesce non smetta mai di sopportare questo peso...»

Per tutta la cerimonia Giuditta aveva guardato suo padre, curvo sotto il peso della colonna, come Colapesce. Chissà quale immenso dolore covava dentro i suoi panciotti di seta, sotto le camicie linde e i colletti inamidati. Cosa turbava così nel profondo un uomo che nella vita aveva nascosto l'allegria dietro la nobiliare veste della scontrosità. Cosa sostenevano quelle spalle ogni giorno più curve, ogni giorno più stanche...

Ci pensò, e quel pensiero le produsse una scossa, come una frustata sulla schiena, una vertigine di paura. Poi l'organo maestoso della chiesa di San Giorgio suonò i suoi bassi solenni riportandola al presente e a lei, di quel presente, interessava solo una cosa: riprendersi il suo Fofò.

Il ricevimento che seguì alla cerimonia nuziale fu lento e a tratti noioso.

Giuditta si aggirava tra i salotti di casa elargendo sorrisi di circostanza ma evitava, con una certa maestria, di rimanere intrappolata in stantie conversazioni intorno al nulla. Preferiva piuttosto osservare la casa addobbata, i fiori sapientemente sistemati dentro i vasi di cristallo e i pavimenti di pece bruna tirati a lucido. Vagava, tra la gente, cullando i suoi ricordi come fa una balia con un neonato piangente. E in mezzo a quella confusione, compita e rumorosa, aveva come la sensazione che i suoi pensieri, sebbene urlati, non potessero essere ascoltati da nessuno.

Ripensò a tutte le lettere che si erano scambiati dal giorno in cui Giannina le aveva fatto recapitare la prima.

Undici ne aveva scritte lei e dodici lui.

Si raccontavano le giornate con una minuzia di dettagli sorprendente, elencavano i cibi che avevano gustato, le sfumature che regalava il cielo al tramonto e gli infiniti pensieri delle notti insonni. Vi era, in quel variopinto carteggio, un mondo negato, un amore deluso e al contempo ricercato, tenuto in vita dalle parole, dall'inchiostro caldo come sangue vivo e dal fiato nascosto nelle trame della carta.

Dentro ogni lettera fioccavano giuramenti eterni, i mai addossati ai sempre e i noi unici protagonisti di un futuro sempre più imminente.

Fortunato raccomandava prudenza, offrendo a Giuditta la scelta del domani, e lei, come un puledro imbizzarrito, scalpitava, cercando nei grovigli di un cuore in tumulto una soluzione che fosse astuta e definitiva.

E quel pensiero la ossessionava occupandole ogni minuto della giornata, ogni alito di vita.

Accelerò il passo e uscì sul balcone. Quel vociare le risultò improvvisamente doloroso, tutta quella festa, quel gioire sfacciato le apparve inutile.

Sebbene fosse dicembre, una luce calda accarezzava i

profili delle case e ridisegnava il contorno ampolloso delle volute barocche. Si appoggiò alla ringhiera bianca e respirò l'aria fredda. Chiuse gli occhi e restò a lungo così, dimenticando i rumori e disperdendo se stessa.

Ma quando li riaprì, voltandosi alla sua destra, notò che suo padre, due balconi più in là, la osservava. Restarono a guardarsi senza che nessuno dei due cedesse a un sorriso o abbassasse lo sguardo. Ogni muscolo del loro volto sembrava di pietra, nulla lasciava trapelare alcuna emozione. Fu Romualdo, infine esausto, ad accennare un sorriso. C'era, nello sguardo di quell'uomo divenuto vecchio in una notte, il timido tentativo di ricominciare, di annullare le asprezze del passato e tendere la mano al futuro. Giuditta però non ricambiò quella smorfia delle labbra tanto simile a un sorriso, avvertì, piuttosto, una rabbia incontrollata che combatteva, strenuamente, contro il desiderio di abbracciarlo forte.

Furono tre invitati, chiassosi, a sciogliere l'imbarazzo di quel momento. Uscirono sul balcone di mezzo frapponendosi agli sguardi confusi di padre e figlia. E mentre Romualdo, deluso, rientrava con un palese disappunto malcelato dai gesti, Giuditta, sgranando gli occhi, trovò l'idea che tanto aveva aspettato.

Attraversò di corsa tutti i salotti, urtò signorine ingioiellate e uomini incravattati, rischiò di far cadere un vassoio a un cameriere impacciato nella livrea e si diresse verso la sua stanza.

Entrò, mentre il fiatone le faceva sobbalzare il seno, e chiuse la porta a tre mandate.

Cercò di calmarsi andando allo scrittoio, aprì il cassetto,

tirò fuori un foglio lindo, lo baciò con avidità e cominciò
a scrivere.

Fofò, amore mio,
ho trovato la soluzione. Non chiedermela, non posso
affidarla a questa lettera, sarebbe troppo rischioso, ma
sono certa che avrai fiducia in me.
Devi solamente trovare il modo di raggiungermi ma
devi essere cauto; nessuno dovrà sapere di questo
tuo ritorno, nessuno dovrà sospettare di un nostro
incontro.
Ci ho pensato a lungo in tutti questi giorni e final-
mente, come una verità che era celata nel profon-
do della mia anima, la soluzione mi si è mostrata
in tutta la sua semplicità. Adesso ho tutto chiaro,
nessuno potrà impedire il nostro amore, nessuno
potrà sottrarsi alla realtà che grideremo in faccia al
mondo.
La felicità, Fofò, passa dalla sofferenza, dallo scontro
e dalle avversità. Dunque devo chiederti se sei pronto
a fare qualsiasi cosa, se temi le conseguenze di questo
gesto o se la forza di questo sentimento riesce a supe-
rare tutto.
Dimmelo con il cuore in mano, affinché io sappia cosa
fare, con la certezza di averti accanto, come scudo e
come spada.
Se mi dirai di sì, ci incontreremo nella chiesa rupe-
stre vicino al fiume. Ricordi la prima volta in cui ci
andammo?
Quel posto mi sembra sicuro.

Sarà una festa e l'inizio di una nuova vita.
Stringimi Fofò e rispondimi presto. Da oggi avrò finalmente una ragione per sorridere.

Tua per sempre

Giuditta rilesse quelle righe, ripiegò il foglio, lo infilò dentro una busta anonima, scaldò la ceralacca e la sigillò, poi uscì dalla stanza. Riattraversò i salotti a passo lento, si fermò a parlare e rise più volte.

Tutto aveva d'improvviso assunto un significato diverso. Ogni cosa sembrava essere tornata al posto giusto, persino quel vociare stridulo di donnine inviperite con tutti i loro falsi complimenti.

Incrociò gli occhi vigili e dubbiosi di Amalia e, per tranquillizzarla, sorrise. Poi baciò Rosalia, augurandole di cuore ogni felicità.

E quando nel vortice convulso di un festeggiamento senza festa, ritrovò gli occhi di suo padre, per la prima volta dopo molti mesi e conscia del futuro che aveva scelto, abbassò lo sguardo e sussurrò: «Scusatemi».

Capitolo 22

Palazzo Chiaramonte, 10 gennaio 1903

Il 10 gennaio arrivò presto, come una folata improvvisa di vento, come un'onda inaspettata in un mare piatto.

La risposta di Fortunato era giunta veloce. Pochissime parole, ma efficaci. «Mi fido amore mio, non ho bisogno di sapere null'altro. Il 10 gennaio sarò da te, nella nostra chiesa rupestre, o ruperte, che dir si voglia... Alle dieci sarò lì. Maria Santissima.»

Da quel momento Giuditta aveva cancellato i giorni dal suo calendario, apponendovi una croce sopra e scrivendo accanto «un giorno in meno verso la felicità».

E così era trascorso il Natale, in un clima di apparente serenità. Tutto sembrava essersi sistemato, le nuvole di un recente e burrascoso passato parevano diradarsi e l'inquietudine di Giuditta sfumava ogni giorno di più lasciando spazio a una remissiva obbedienza.

Tutto minuziosamente premeditato si direbbe adesso, chiamando in causa il buon senso del poi.

Ma in quel momento, quella ritrovata quiete, sembrò a Romualdo una conquista, forse la più ardua della sua vita.

Tuonava in lui, con il fragore della tempesta, un incontrollabile senso di colpa. Il dolore di Giuditta lo aveva squarciato come un coltello trascinato sulla tela di un ritratto. Si sentiva l'unico responsabile della infelicità della figlia e non riusciva a perdonarsi.

Ogni sera, quasi a volersi dare sostegno con l'approvazione altrui, prima di dormire chiedeva a sua moglie: «Ottavia, dimmi na cosa, comu ti pari Giuditta?»

«Queta…» rispondeva lei sfuggente.

«Queta? Che significa?» incalzava lui.

«Significa ca mi pari più rassegnata, più ragionevole.»

«Eh infatti. Haiu vistu… l'hai notata che oggi a tavola mi fece un mezzo sorriso?»

«Nun ci prestai attenzione…» rispondeva lei con quell'implacabile atteggiamento sduffuso, come di quella che deve eternamente far pagare una colpa.

«Sì, sì… a tavola. Mentre ni staumu mangiando la crema di mandorle. Io ci addumannai se le piaceva e idda mi fici un sorriso… ti n'addunasti?»

«Può essere… io nun ci prestai attenzione!»

Romualdo restava in silenzio qualche istante, fissandola con totale disapprovazione, poi si girava sul fianco sinistro e mormorava: «L'antipatia c'hai ta putissitu vinniri… Buonanotte».

E andava così quasi tutte le sere; ogni giorno il marchese si appuntava nella memoria, come fosse un taccuino, ogni sguardo di Giuditta, ogni sorriso velato, ogni respiro che potesse somigliare a un sospiro.

Si informava, fingendo disinteresse, dei suoi spostamenti. Voleva sapere come trascorreva le giornate, se leggeva, se ricamava, se incontrava amiche. E puntualmente gli veniva risposto che la ragazza stava chiusa nella sua stanza, scriveva spesso, leggeva meno, e solo raramente usciva in giardino per una passeggiata. L'unico momento nel quale la si poteva vedere sorridere di cuore, era al pomeriggio quando Amalia, con la sua placida bellezza, irrompeva nella vita di tutti, portando calore.

In quelle ore Giuditta sembrava rinascere, ogni ombra del passato spariva e lei tornava la ragazza allegra e spensierata di sempre.

«Secondo te si riprende?» chiedeva ogni pomeriggio Romualdo ad Amalia.

«Ci vorrà del tempo», rispondeva lei. «Per un attimo, credo, abbia pensato che fosse finito il mondo, ma il suo mondo era ridotto a questa casa, a questa realtà. Dovete avere pazienza anche voi, l'ostinazione dell'amore è dura a morire.»

Romualdo annuiva, dilaniato, e baciava Amalia sulla fronte.

La mattina del 10 gennaio Giuditta si alzò dal letto con la consapevolezza che quella giornata avrebbe mutato il corso della sua vita. Non aveva dormito tutta la notte ciò nonostante si sentiva forte e decisa come mai lo era stata.

Si vestì con cura ma prestando attenzione a non mostrarsi cambiata. Acconciò i capelli e, meticolosamente, ne fece ricadere due ciocche, esaltando una sciatteria che in verità non le apparteneva. Guardò il latte e il caffè sullo scrittoio e, per evitare di destare sospetti, ci annaffiò un ciclamino che, morente, stava sul balcone.

E prima di uscire dalla stanza si fermò davanti allo specchio.

L'immagine che stava lasciando di se stessa non sarebbe più stata la stessa. Si guardò con la nostalgia di chi perde, con la risolutezza di chi cerca.

E uscì.

Uno sprezzante sole invernale rendeva l'aria insolitamente primaverile. Giuditta si guardò intorno, accarezzando con lo sguardo ogni cosa. Poi alzò gli occhi verso il grande orologio dell'ingresso e si rese conto che il tempo, d'un tratto, aveva cominciato a correre.

Entrò nel salottino dove sua madre stava prendendo il caffè e disse: «Mamà, vado da Amalia...»

Ottavia non riuscì a chiedere il perché di quella insolita visita alle nove del mattino, che la ragazza era già uscita, lasciando in casa solo il rumore di una porta che si chiude.

Durante il tragitto per scendere al fiume, Giuditta non incontrò nessuno. La cosa le sembrò strana e a tratti miracolosa, come se un Dio compiacente la stesse incoraggiando ad andare fino in fondo.

E più si avvicinava al luogo dell'incontro più sentiva una stretta al cuore.

Dopo infinite notti insonni e così tante lacrime da poterci morire annegati, finalmente lo avrebbe rivisto.

Ne avrebbe disegnato il contorno degli occhi, la forma delle labbra, il profilo elegante. Lo avrebbe stretto a sé, riprendendosi quell'odore del quale era stata ingiustamente privata. Lo avrebbe baciato fino a consumarlo e gli avrebbe guardato il fondo degli occhi, come una fattucchiera, alla ricerca del suo amore.

E poi si sarebbe fatta giurare mille e mille volte ancora

che le era stato fedele. Che nessuna avrebbe potuto mai prendere il suo posto e che quei lunghi mesi non avevano minato nulla del loro sentimento.

Si mise a correre, alternando l'euforia alla gelosia, la frenesia alla paura.

E quando arrivò dietro la chiesa rupestre si fermò di colpo. Respirò a lungo, sperando che il galoppo impazzito del cuore potesse rallentare, e prima di riprendere il cammino si fece il segno della croce.

Quando girò intorno alla siepe di rovi che cingeva il lato ovest della grotta, lo vide.

Fissava, immobile, il corso del fiume dandole la schiena.

Le spalle, larghe come il tronco di un albero adulto, e il bacino stretto mettevano in evidenza le gambe lunghe e robuste.

Una leggera brezza gli scompigliava i capelli ondulati che brillavano sotto la luce di quel sole inaspettato.

Giuditta non ce la fece a trattenere le lacrime che scorrevano silenziose perdendosi dentro un sorriso imbambolato.

Fortunato si voltò, e la sorprese così. Giuditta non si mosse, sembrava paralizzata dalla paura e dall'emozione. Piangeva e basta, come se quella fosse l'unica cosa giusta da fare.

Lui si avvicinò, mostrando i denti bianchi e dritti che da soli avrebbero squarciato le tenebre.

Le prese la mano, se la portò alle labbra con delicatezza e la baciò. E dalla mano passò alle guance bagnate, alla fronte e alle labbra vogliose. Non dissero nulla. Le tante parole che avevano riempito le loro giornate, le domande, i dubbi e tutte le paure si sciolsero come una granita sotto la canicola di luglio. Tutto si era fatto chiaro. Ogni parola sarebbe stata superflua, ogni attimo sprecato, ogni sospiro rubato. Si baciarono e si abbracciarono con avidità, senza mai chiudere gli occhi, fissi l'uno dentro lo sguardo dell'altro.

E mentre quel vortice li possedeva, Giuditta lo prese per mano. Non ci fu bisogno di parole, bastò quella presa decisa. Lei un passo avanti, lui subito dietro. Entrarono dentro la grotta scura, illuminata solo dal cono di luce dell'ingresso. Giuditta si sedette per terra mentre Fortunato annaspava nel dubbio.

Fu lei a trascinarlo a sé. Continuava a baciarlo mentre faceva scivolare le mani sotto la camicia. E quando lui provò a resistere, sgranando gli occhi per cercare una risposta, lei sussurrò piano: «Nessuno potrà più separarci, tu sarai mio e io tua per sempre».

Ogni muro era ormai caduto, ogni resistenza vinta. Perché l'amore, si sa, è una guerra, una battaglia da combattere su corpi nudi che si dimenano fino allo stremo delle forze, fino alla fine del piacere.

Fortunato si arrese. Forse aveva ragione Giuditta, la vita era lì, in quel momento, e andava vissuta. Le si sdraiò sopra, impacciato e tremante, e più la baciava più sentiva crescere il desiderio di lei.

Le baciò il collo e scese fino ai seni. Li scoprì, candidi e sodi, per la prima volta e credette di morire. Avrebbe voluto restarci ancorato tutta la vita, come un lattante ai capezzoli della madre. Giuditta, la sua Giuditta tenera e risoluta, donna e bambina, stava lì, pervasa da una sensualità fino a quel momento celata, e lo guardava quasi implorante.

Lui cercò ancora una volta la sua approvazione con lo sguardo, e mentre lei annuiva Fortunato le alzò la sottana.

Una scarica di piacere invase lui, una di dolore scosse lei. Restarono così, uniti come una chiave dentro una serratura. Non percepirono il freddo di gennaio, né la scomodità di restare distesi sulla terra bagnata. Piuttosto si sentirono adulti, e finalmente liberi.

Fortunato le si appoggiò sul seno ancora nudo e Giuditta gli accarezzò i capelli. Poi lui alzò la testa e la fissò: «Non ti amo da quel sabato di Pasqua. Ti amo da sempre, dal primo sorriso che mi hai regalato, dalla prima volta che hai stretto la mia mano, dalla più antica memoria che ho di te. Amo i tuoi capricci e le tue tristezze, la tua voglia di vivere e di combattere. Amo le tue labbra rosse e questi seni che ho immaginato mille volte, e amo questo dieci di gennaio e questo posto solo nostro e questo fiume e questo piacere immenso».

Giuditta lo contemplò con tenerezza. Perché, dopo l'amore, un uomo è vinto mentre una donna diventa invincibile.

Gli disegnò il contorno del viso con le dita e poi disse: «Ti memorizzo, amore mio, per tutte le volte che saremo lontani…»

«Che intenzioni hai?» chiese lui crollando ancora una volta sul suo seno.

«Dirò tutto, griderò la verità, questa verità…» rispose lei risoluta.

«Aspetta Giuditta…» disse Fortunato sollevandosi di

scatto. «Non conosciamo la reazione, potrebbe essere terribile e tu saresti sola, lontana da me.»

«Ho già pensato a tutto. Quello che è accaduto è irreparabile. C'è solo un modo per lavare questo peccato.»

Fortunato si rabbuiò, la gioia incontrollata che fino a pochi istanti prima gli si leggeva in volto si trasformò in amarezza. Si alzò, sistemandosi la camicia dentro i pantaloni, indossò la giacca e si voltò di spalle.

«Che c'è Fofò, che succede?» chiese lei tirandosi su.

«Io non volevo sposarti per lavare un peccato. Volevo farlo per amore», rispose lui.

«Ma noi ci amiamo», rispose Giuditta abbracciandolo da dietro. «Questo è l'unico modo per non soffrire più, per vivere finalmente, alla luce del sole, quello che siamo.»

Fortunato si girò e la strinse a se così forte da farle male. Poi le baciò le labbra e la fronte e prima di lasciarla andare le segnò, con il pollice, una croce sulla fronte.

«Stai attenta Giuditta e portami con te, ovunque.»

Fu un bacio lunghissimo a separarli, un bacio che non riusciva a perdersi, al quale non mancava il fiato né la passione, non sentiva né fatica né stanchezza ma solo la voglia di restare lì, ancorato a quelle labbra.

«Ci vediamo domani, qui, alla stessa ora», disse lei raggiante.

«Ti aspetto», rispose lui.

E mentre la vedeva allontanarsi, provò una fitta, un dolore tagliente come una pugnalata in pieno petto.

Si guardò i pantaloni e vide una macchia di sangue. Sorrise e sussurrò: «Non volevo farti male, Maria Santissima».

Capitolo 23

Palazzo Chiaramonte, 10 gennaio 1903

Giuditta risalì la scala verso Ibla con il piglio di chi ha la vittoria in pugno. Se solo avesse studiato meglio la storia che il canonico LoPresti aveva provato a farle amare, avrebbe saputo che una battaglia vinta a un prezzo troppo alto, spesso conduce a una sconfitta finale.

«Ricordatevi di Pirro quando crederete di aver raggiunto un obiettivo», diceva il canonico. Ma Giuditta non ci pensò. L'amore rende ciechi e talvolta presuntuosi di immortalità.

Camminò, per tutto il tragitto verso casa, con la testa alta, incrociando gli occhi della gente e mostrando un sorriso spudorato.

Non pensò alle conseguenze del suo gesto né alla reazione di suo padre. Era soddisfatta come se quella fosse stata l'unica cosa giusta da fare. E mentre camminava, attraversando le piazze gremite e le stradine affollate di carretti e venditori ambulanti, ripensò agli occhi di Fofò, alle sue mani sui suoi fianchi, a quel petto villoso. Arrossì ripercorrendo nella memoria l'immagine perfetta dei loro corpi uniti e si portò le mani al naso, respirando a pieni polmoni quello che erano stati, quello che erano diventati.

Sorrideva Giuditta. Sorrideva alla vita, a quella primavera inaspettata, a quell'amore riconfermato, a quella passione bruciante, a quegli occhi blu.

Sorrideva alla luce che si intrufolava dentro le finestre delle case, ai campanili che si stagliavano nel cielo terso, alla gente esausta e ai bambini sgualciti, come un cuscino all'alba. Sorrideva perché la felicità non vede altro che bellezza intorno a sé, una bellezza che talvolta è solo illusione.

E così, vagando ebbra di vita, si trovò di fronte al portone di casa.

Esitò un attimo, poi, come una folata di vento, risentì l'odore dolciastro di Fofò risalirle le narici fino alla gola. E tanto bastò a darle il coraggio necessario.

Salì il grande scalone di pece e contò i gradini. Ventiquattro divisi in tre rampe. Non li aveva mai contati, pensò, mentre provava a tenere a bada il cuore impazzito.

Attraversò l'ingresso, il salottino verde, quello azzurro e si trovò dinanzi alla porta socchiusa dello studio di suo padre.

Non ci pensò due volte; batté sulla porta e contemporaneamente la aprì.

«È permesso?» chiese piano, affacciando la testa come un gatto tra i cespugli.

Romualdo le sorrise. A Giuditta sembrò la prima volta che suo padre mostrasse così apertamente i denti. Erano dritti e bianchi, belli avrebbe pensato se in quel momento la voglia di vendicarsi non l'avesse resa miope.

«Vieni Giuditta, bedda mia. Che ci fai qui? Ti senti bene? È successo qualcosa?»

Romualdo era insolitamente gentile. Da mesi non vedeva sua figlia entrare nel suo studio, da mesi non le rivolgeva la parola. Ogni tanto lanciava uno sguardo e come un mendicante si accontentava delle briciole intravedendo nelle smorfie del viso segnali inequivocabili di rappacificazione.

Finalmente quella visita poteva essere letta come un nuovo inizio, come una richiesta di perdono, o forse come una assoluzione.

«Siediti, che fai lì impalata... viri ca nun ti mangio», incalzò il marchese provando a scuotere l'imperturbabilità della figlia.

Giuditta si avvicinò alla sedia accanto alla scrivania con circospezione. Per un attimo le balenò l'idea di andarsene. È più facile pugnalare chi frappone un muro rispetto a chi, da mesi, prova ad abbatterlo.

«Rendetemi le cose più facili», disse d'un tratto come se quelle parole le fossero scappate dai pensieri, passando dalla bocca prima di interpellare la ragione.

Romualdo tacque per un istante, giusto il tempo di valutare la possibilità di non aver colto quelle parole. E così fece.

«Allora... come stai? Chi si rici, cuntami un po' di cose...» disse lui ancorandosi alla speranza che quella fosse solo una visita di cortesia.

«Vi devo dire una cosa», fece seria Giuditta.

Romualdo si alzò di scatto, si girò di spalle e guardò fuori.

Furono attimi di paura, di tormento. Nessuno saprebbe

dire chi dei due avrebbe voluto fuggire più lontano, chi avrebbe voluto morire per primo. Poi tornò a guardare la figlia.

«Dimmi», sussurrò, come se pronunciare quel verbo breve e asciutto, gli fosse costato la vita.

«Ho rivisto Fortunato...» disse lei fissando il pavimento a scacchi.

«Non è possibile! Fortunato non è qui e tu non hai potuto vederlo da nessuna parte.»

«È tornato stanotte, ci siamo incontrati questa mattina al fiume», continuò Giuditta dritta come un fendente.

«Ti avevo proibito di incontrarlo!» tuonò Romualdo visibilmente scosso. «È una follia, una pazzia. Cristo santo tu quel ragazzo te lo devi scordare. Lui non c'è, non esiste. Lo devi pensare morto.»

Il marchese tremava di rabbia e forse di paura.

Ma tentò di calmarsi. Poi fece una cosa inaspettata: prese a implorarla, come fa un uomo senza speranze di fronte alla croce.

«Giuditta, per carità, ti prego, ti scongiuro. Dimentica Fortunato. Tu sei giovane, neanche immagini quante sorprese la vita può riservarti. L'amore, o quello che si crede possa essere tale, è spesso una ostinazione, una volontà sfacciata. Ascolta tuo padre, per l'anima dei nostri morti e per te stessa, non incontrarlo più.»

Giuditta restò immobile. Non lo aveva mai visto così debole, così solo. Si sarebbe aspettata l'ennesima sfuriata, le grida forsennate della scorsa volta, le minacce, le punizioni, le ammonizioni, ma non avrebbe mai immaginato di vederlo così supplichevole.

Avvertì un brivido di paura, come se quel salto che si stava accingendo a compiere, fosse più grande di lei, più grande di tutti.

Respirò, serrò le palpebre e saltò lo stesso.

«Non è più possibile.»

Romualdo le si avvicinò quasi correndo e la scosse stringendole le braccia.

«Che viene a significare non è più possibile?»

Giuditta restò impassibile, con gli occhi bassi e il cuore in gola.

«Parla, Cristo! Che viene a significare?» gridò il marchese facendo tremare i vetri della stanza.

Giuditta alzò lo sguardo e glielo puntò addosso con una ferocia inaudita.

Se qualcuno fosse entrato, in quel momento, sarebbe rimasto pietrificato da tanta determinazione.

«Non potrete impedire più nulla, bisogna solo riparare.»

Romualdo allentò la presa lentamente, ripetendo, a fatica, quell'ultima parola. «Riparare...»

E più la ripeteva, più indietreggiava, fino a ritrovarsi con le spalle al muro.

Il suo volto si era trasformato. Non c'era più la veemenza del dolore e neanche lo scolorito segno della paura. Era rimasta, visibile come uno sfregio, solo la sconfitta che si contorceva in un dolore muto, agonizzante, tremendo.

Giuditta guardò suo padre terrorizzata, come se lo avesse appena pugnalato e le sue mani stessero ancora grondando sangue, e si sentì morire quando lui, senza il ritegno dell'età, cominciò a piangere.

Piangeva, bestemmiava il nome di Dio e malediceva se stesso.

Prese a vagare per lo studio come un pazzo, parlando confusamente, ansimando e schiaffeggiandosi.

«Malirittu io, malirittu, malirittu… questo mi meritavo, questa tragedia, questa condanna. Ammazzatemi, sputatemi na faccia, sparatemi un colpo di lupara nel battesimo. Voglio morire, voglio morire…»

Sembrava impazzito. Andava avanti e indietro seguendo il filo contorto dei suoi pensieri. Giuditta lo seguiva con lo sguardo, tenendosi a debita distanza e aspettando che quella crisi passasse presto.

Poi lo vide crollare. Romualdo si accasciò sulle ginocchia come se stesse pregando e, nascondendosi il volto tra le mani, disse: «Tu non capisci Giuditta, non puoi capire, è solo colpa mia… perdonami!»

Era un uomo vinto, sfinito. Implorava un perdono che avrebbe dovuto chiedere lei, non lui, e si dimenava come se il peso di qualcosa di terribile lo stesse soffocando.

Giuditta gli si avvicinò, si accovacciò di fronte a lui e gli prese il viso tra le mani.

«Perché vi devo perdonare? Cosa c'entrate voi?» disse in preda all'ansia.

Romualdo scosse la testa. «Non posso… non posso…» singhiozzò tra le lacrime.

«Ditemi qualcosa, ditemi qualcosa vi prego.»

Il marchese posò la sua mano grande sul volto di Giuditta e annuì. Poi disse piano: «Fortunato è tuo fratello».

Ci sono verità, così dolorose nella vita, che sembrano

non appartenere al mondo. Verità che farebbero bene a restare celate nel fondo di un cassetto mai aperto, nei meandri di un animo mai lindo. Verità che non possono essere udite perché il loro suono diventa una campana a morte, un verdetto finale, una condanna eterna.

Giuditta deglutì due volte come se la saliva che tentava di mandare giù si fosse bloccata. Sentì una vampata nel petto, come se un fuoco la stesse avvolgendo.

«Ma cosa dite? Fofò è figlio di don Nicola e donna Marianna. Siamo cresciuti insieme, abbiamo la stessa età e lui è biondo, è alto, ha gli occhi azzurri...» e mentre ripeteva quell'ultima frase guardò suo padre. I capelli radi erano stati biondi un tempo e gli occhi azzurri, per quanto velati dalle lacrime, erano gli stessi.

«Ditemi che non è vero», disse lei piangendo, «ditemelo vi prego...»

«La madre di Fortunato era bellissima», cominciò a raccontare il marchese asciugandosi le guance umide. «Era venuta a lavorare in questa casa a sedici anni. Io allora ero giovane e stupido. Pensavo che fosse colpa di tua madre se il maschio non era arrivato e cominciai ad affogare le mie frustrazioni tra le braccia di Rosa, si chiamava così.

Poi d'un tratto sparì.

Chiesi in giro, la feci cercare da chiunque ma nessuno mi seppe dare risposta. Sembrava dissolta nel vento, rapita dal destino.

Un giorno, poco prima che tu nascessi, mi mandò a chiamare la levatrice. Mi disse che Rosa stava partorendo un figlio mio ma era anche molto provata e probabilmente sarebbero morti entrambi, madre e figlio.

Io mi precipitai da loro. Mi colpì la miseria nella quale aveva vissuto, quella casa angusta, umida, sudicia. Se solo mi avesse chiesto aiuto io avrei potuto salvarla.»

Romualdo dovette fermarsi, tamponare ancora quel flusso di lacrime ininterrotto e riprendere.

«Quando arrivai però era troppo tardi. Lei era morta a causa di una emorragia. La bellezza di un tempo si era consunta in pochi mesi, la sofferenza l'aveva stravolta.

Le coprii il volto con un lembo di lenzuolo e guardai la levatrice.

Teneva in mano un fagotto insanguinato e urlante e prima che potessi vederlo mi disse: "Oscenza è masculiddu. Nun vo morriri, anzi… vo campari".

Fu in quel preciso istante che mi balenò l'idea di una messa in scena.

Chiesi alla balia di tenerlo con sé un paio di giorni, per potermi così occupare del funerale di Rosa. Dopo avrebbe dovuto lasciarlo davanti al portone del nostro palazzo e sincerarsi, prima di andare via, che Nìria lo trovasse. E così avvenne, esattamente la sera in cui sei venuta al mondo tu.»

«E don Nicola? Donna Marianna?» domandò Giuditta.

«Non avevano avuto figli, ero certo che avrebbero accolto quel trovatello come una grazia di Dio. Io, di contro, l'avrei visto crescere dentro casa, lo avrei seguito come fa un padre, lo avrei aiutato a trovare la sua strada, a vivere la sua vita. Ho cercato solo di proteggerlo… lui è il mio unico figlio maschio.»

Romualdo aveva ripreso un copioso e singhiozzante pianto.

Giuditta invece sembrava paralizzata. Le lacrime scendevano silenti mentre la vista si andava appannando sempre di più. Sentì le tempie pulsare come tamburi e l'equilibrio farsi sempre più precario.

Si portò la mano alla bocca, come se un improvviso conato di vomito le fosse salito dal petto e ripeté piano: «Perché mi avete fatto questo? Perché?»

Romualdo provò a sfiorarle un braccio ma lei si ritrasse.

«Bruceremo all'inferno per l'eternità. E tutto per colpa vostra. Voi non potete neanche immaginare quanto straziante sia questo dolore. Io vi odio!»

Furono quelle le ultime parole che Romualdo udì.

Giuditta aprì la porta e cominciò a correre. Provò orrore per se stessa e per quello che aveva fatto. Provò ribrezzo all'idea di quelle mani sul suo corpo, di quei baci rubati, di quel sentimento che si era trasformato in amore. E sentì, come un macigno, l'insostenibile peso della colpa. Era stata lei a condurre Fortunato a quella estrema conseguenza, lei, con la sua ostinata presunzione a condannarlo e a condannarsi. E adesso avrebbe pagato, in un modo o in un altro.

Si scontrò con Giannina e Maruzza, scese le scale e uscì in strada, diretta a casa di Amalia. Ibla, che fino a poco prima le era sembrata ridente, le parve angusta e tetra.

Bussò al portone battendo i pugni e la fronte e quando, stravolta, si accasciò, aggrappandosi alle gambe della sorella, disse: «Aiutami Amalia, questa volta è davvero finito il mondo».

Capitolo 24

Palazzo Chiaramonte, 25 novembre 1915

«Che follia questa guerra», sospirò Giuditta cullandosi dolcemente sulla sedia a dondolo.

Giorgio, che le stava accanto, ripiegò il giornale e sospirò.

«Eh già, mia cara. Tutte le guerre sono combattute per denaro, diceva Socrate. E anche in questo caso, dietro il sacro furore idealista di taluni interventisti, c'è solo denaro; vile e spregiudicato denaro.»

Giuditta annuì e guardò fuori dai vetri dei balconi serrati.

Pioveva.

Una pioggia fitta e battente echeggiava sulle tegole consunte dal tempo e un vento freddo si intrufolava tra le fessure del legno csausto e arrivava tagliente dentro le ossa.

«Dovremmo chiamare il falegname, quantomeno per queste stanze che viviamo di più...» disse Giuditta coprendosi con uno scialle di lana verde.

«Domattina, dopo l'ambulatorio, andrò da lui», rispose Giorgio con quella pacata accondiscendenza che da sempre lo accompagnava.

Si erano conosciuti cinque anni dopo quella triste giornata.

Giuditta era inchiodata a letto, in preda ad allucinazioni e paure. Aveva respinto l'aiuto di chiunque, persino quello di Amalia. Per risollevarla era uscita dal convento Ada con una dispensa speciale, ma si era rifiutata di parlarle.

Mangiava appena e sbarrava gli occhi ogniqualvolta il pensiero di Fortunato le sfiorava la memoria.

Non aveva avuto neanche il coraggio di rivederlo, di raccontargli quella verità.

La mattina del loro appuntamento si erano presentati al fiume Amalia e Mario.

Lui aveva chiesto prontamente se fosse successo qualcosa a Giuditta e Amalia lo aveva abbracciato, lasciandolo interdetto e confuso. Poi aveva parlato Mario, l'unico in grado di reggere il peso di quella tragedia.

Amalia non raccontò mai la vera reazione di Fortunato a Giuditta. Disse solo che con grandissima dignità aveva rifiutato la cospicua somma di denaro che Mario gli aveva offerto, asserendo che avrebbe lavorato sodo per dimenticare.

Sparì quella mattina stessa da Ibla senza lasciare tracce.

Negli anni a seguire, Palazzo Chiaramonte e l'intera famiglia subirono un decadimento.

Una coltre di tristezza aveva invaso la casa e quello che restava dei suoi abitanti.

Rosalia si era trasferita a Catania con Pietro, forse perché insofferenti a quella mestizia.

Ottavia era scivolata in una sorta di demenza galoppante. Probabilmente quello era il suo modo di proteggersi dalla realtà o magari rappresentava la speranza di accelerare una fine cercata.

Maruzza, il nuovo monsù e don Vastiano si erano dileguati di prescia e furia dopo la morte di Romualdo.

Solo Giannina era rimasta, tenace e ostinata, fedele e incolpevolmente colpevole.

Lei che aveva riunito i due ragazzi e lei che aveva versato quella polvere bianca e cristallina quando Romualdo glielo aveva chiesto.

Il giorno seguente il marchese era stato trovato nel suo letto, con gli occhi fuori dalle orbite e un rivolo di saliva tra le labbra e l'orecchio destro.

Ma nessuno ebbe voglia di indagare troppo né il coraggio di sentirsi dire la verità.

Il bicchiere che sonnecchiava sul comodino venne lavato e poi buttato e di lui si disse: «Colpo apoplettico»; nulla di più, nulla di meno.

Giorgio arrivò a Ibla una mattina di giugno del 1908.

Si presentò come nuovo medico condotto e da subito prese a cuore lo stato di infermità mentale di Giuditta.

La prima volta che l'aveva visitata aveva intravisto nel fondo dei suoi occhi la vita, l'intelligenza e la vivacità di un animo troppo ferito e troppo solo. Quell'ottundimento nel quale Giuditta si trincerava altro non era che uno scudo, un muro che aveva alzato nei confronti del mondo e del dolore.

Per evitare di soffrire oltre aveva deciso di non vivere.

Ci vollero dieci mesi per farla alzare da quel letto e tredici per farle dire la prima parola.

Giuditta, sotto le amorevoli cure di Giorgio, ricominciò partendo da zero. Dovette esercitarsi per camminare con le proprie gambe e ricominciare a leggere e scrivere per riprendere a parlare fluidamente.

Lui le rimase sempre accanto. Mai troppo vicino da dirsi invadente, mai troppo lontano da pensarlo disinteressato. Le aleggiava intorno, restando alla distanza di un braccio, tanto da potersi fare afferrare se solo lei avesse voluto.

Era innegabile che quel giovane medico si era follemente innamorato di quell'anima ferita e inquieta. Ed era altrettanto innegabile che Giuditta provava per lui un sentimento di immensa gratitudine che nulla ha a che spartire con l'amore.

Furono tre le richieste di matrimonio.

La prima venne rifiutata con un sonoro pianto, come se Giorgio avesse versato del sale sopra una cicatrice ancora aperta.

La seconda venne rifiutata nuovamente ma con un sorriso dolce tra le labbra, segno che l'idea risultava meno scandalosa della prima volta.

La terza Giuditta calò testa mentre Giorgio, commosso come un adolescente, le baciava le mani con la stessa devozione di un fedele alla Madonna.

Si sposarono il 16 febbraio del 1912 nella minuscola chiesa di Santa Lucia, nascosta tra le scale di Ibla.

Giuditta percorse la piccola navata sorretta da Mario mentre Amalia la guardava sorridente.

E così, da tre anni, accompagnavano le loro esistenze seduti l'uno accanto all'altro.

Giorgio non chiese mai nulla alla moglie, né prima in

qualità di medico, né dopo, nel complesso ruolo di marito. E quando Giuditta, una sera d'inverno, provò a dire qualcosa lui la stoppò baciandole la fronte.

«Il passato appartiene alla memoria, nessuno potrà portartelo via e io non voglio che tu ti senta in dovere di condividerlo con me. È probabile che conoscendolo io possa soffrirne, perché è più doloroso immaginarti felice che saperti semplicemente serena, adesso, con me.»

Giuditta lo abbracciò forte.

Giorgio sapeva più di quanto lei avrebbe potuto e voluto che sapesse.

«Dutturi arrivò la posta di oggi», disse Giannina entrando senza bussare nel salottino verde.

«Grazie Giannina, potete portarla qui...» rispose Giorgio mentre cercava di riattizzare il fuoco del braciere al centro della stanza.

Giannina si assentò qualche secondo e ritornò con un fascio di lettere, giornali e riviste che posò sul tavolino di ebano, un tempo tavolo da gioco.

Giorgio si alzò, inforcò gli occhialini tondi e cominciò a leggere.

Giuditta lo guardava. Pensò che la vita, in fondo, le stesse offrendo un'altra possibilità. Dipendeva solo da lei essere o non essere felice.

Poi d'un tratto Giorgio si tramutò in viso. Prese l'orologio da taschino, scrutò l'ora e disse: «Giuditta, ti prego, puoi controllare tu la posta? Io devo andare in ambulatorio, avevo dimenticato un appuntamento...»

Le si avvicinò baciandole la fronte e uscì.

Dopo pochi minuti Giuditta si alzò e prese a smistare le buste.

D'un tratto si sentì mancare il terreno sotto i piedi. Una folla di fantasmi ritornati da un passato troppo lontano aveva preso a inseguirla e lei si sentiva intrappolata in quella stanza, immobile in quella corsa.

Davanti ai suoi occhi, una busta sporca recitava:

Cognome e nome: Colosi Fortunato
Grado: Soldato
Reggimento: 38° Reggimento Fanteria
Compagnia: 4ª Compagnia, 32ª divisione
Zona di guerra

Prese la busta con mano tremante, come se avesse dovuto toccare un animale morente e la girò.

Alla signorina Giuditta Chiaramonte
Corso Savoia 76, Ragusa Ibla

Un sentimento contraddittorio e straziante la investì. Da un lato provò una incredibile felicità nel saperlo vivo. Dall'altra una paura paralizzante nel saperlo lì, sperduto, solo, in quella zona di guerra.

Si appoggiò la lettera sul cuore e poi la sfiorò piano con le labbra.

Poi si risedette sulla sedia a dondolo, fissando il braciere che fiammeggiava come un cielo stellato.

Torturò la lettera fra le mani, accarezzando quella calligrafia che tanto le era stata cara.

Poi si sfiorò il ventre rigonfio che cullava una vita nuova, una rinascita.

Baciò ancora una volta la busta e la gettò tra le fiamme.

Ci vollero pochi secondi perché quella lettera si accartocciasse su se stessa, diventando cenere.

«Perdonami Fofò, questa volta non posso permettere al passato di distruggere il futuro. Abbi cura di te; io ne avrò di me e di chi porto dentro. Maria Santissima.»

Miei carissimi lettori, mi è d'obbligo una precisazione.

Tutto ciò che leggerete o avrete già letto in questo libro, tutte le sofferenze, le gioie e le vicende narrate sono frutto della mia fantasia.

Tuttavia nessuna fantasia può mai dirsi più ardita della realtà pertanto è possibile, per non dire probabile, che in qualche parte del mondo, in qualche recondito angolo della terra, una storia simile a questa abbia avuto luogo.

Se così dovesse essere, sappiate che ogni pagina di questo romanzo è dedicata a chi queste vicende le ha vissute realmente.

Con sincero affetto per ognuno di voi

C.D.Q.

Stampato nel settembre 2021 per conto di Baldini+Castoldi s.r.l.
da ▓▓ Grafica Veneta S.p.A. – Trebaseleghe (PD)